*Lya Luft* | *O silêncio dos amantes*

*Lya Luft* | *O silêncio dos amantes*

4ª EDIÇÃO

EDITORA RECORD
RIO DE JANEIRO • SÃO PAULO
2008

CIP-Brasil. Catalogação-na-fonte
Sindicato Nacional dos Editores de Livros, RJ.

L975s
4ª ed.
Luft, Lya, 1938-
O silêncio dos amantes / Lya Luft. — 4ª ed. — Rio de Janeiro: Record, 2008.

ISBN 978-85-01-07193-4

1. Conto brasileiro. I. Título.

08-0088

CDD — 869.93
CDU — 821.134.3(81)-3

Copyright © 2008 by Lya Luft

Projeto de capa: Evelyn Grumach
Projeto gráfico: Evelyn Grumach e Carolina Ferman

Todos os direitos desta edição reservados pela
EDITORA RECORD LTDA.
Rua Argentina 171 • 20921-380 • Rio de Janeiro, RJ • Tel.: 2585-2000

Impresso no Brasil

ISBN 978-85-01-07193-4

PEDIDOS PELO REEMBOLSO POSTAL
Caixa Postal 23.052
Rio de Janeiro, RJ — 20922-970

para meus pais *wally e arthur*, pela infância
para meus filhos *susana, andré e eduardo*, pela alegria
para *vicente*, pela vida

Sumário

| Sem palavras 9

| Apresentação 11

1 | A Pedra da Bruxa 13

2 | O anão 23

3 | O aniversário 33

4 | O que a gente não disse 39

5 | Bebês no sótão 47

6 | Um copo de lágrimas 53

7 | O jardim das visões 63

8 | No fundo das águas 69

9 | O fruto do meu ventre 77

10 | O internato 83

11 | A presença 89

12 | Uma em duas 95

13 | Encontros 101

14 | A Velha 107

15 | O menino do mar 115

16 | O pássaro 121

17 | Adria 125

18 | Presente de Natal 139

19 | O perdão 145

20 | O silêncio dos amantes 153

# Sem palavras

A vida inteira busquei
explicações e deciframentos:
encontrei silêncio e segredo,
às vezes o conforto de um ombro,
outras vezes
dor.

No último lapso
de um tempo sem limites
— embora a gente o queira compor
em fragmentos —,
abriram-se as águas
e entrei onde sempre estivera.
Tudo compreendido
e absolvido,
absorta eu me tornei
luz sem sombra:
assombro.

# Apresentação

A idéia inicial deste livro foi um ensaio na linha de *Perdas & Ganhos*: gosto desse jeito direto de chegar aos meus leitores. Falaria da incomunicabilidade e do silêncio — não apenas entre o casal amoroso, mas entre quaisquer pessoas ligadas por laços afetivos ou familiares (que nem sempre são afetuosos...). Depois, por um tempo me pareceu que seria um romance: os personagens saltavam, sacudiam braços e pernas, queriam viver. Assim cheguei a escrever muitas páginas.

Finalmente, após um desses períodos que todo escritor conhece, de inércia e quase desânimo, acordei com o romance fragmentado numa porção de histórias, todas ligadas pela mesma proposta que vem desde os meus primeiros romances e poemas: refletir sobre a incomunicabilidade e a solidão, os conflitos humanos, a morte que nos ronda, além do mistério e da beleza que nos fazem repensar a vida.

Pois ser humano, com toda a miséria e grandeza que isso significa, não é apenas desejar consolo e esperança, mas também abrir os olhos e enxergar além disso, sem perder a alegria.

*Lya, verão de 2008*

# 1 | A *Pedra da Bruxa*

Quando meu filho tão querido sumiu, quando se transformou, se matou, se jogou ou caiu da Pedra da Bruxa, se perdeu no mato — ou saiu voando e nunca mais voltou —, entendi que nossa cumplicidade só existia na minha imaginação. Essa foi a sua verdadeira morte: nossa relação tão especial era mentira. A boa vida familiar era falsa. Andávamos sobre uma camada fina de normalidade. Por baixo corriam rios de sombra que eu não queria ver. Ele, meu filho tão extraordinariamente amado, era irremediavelmente sozinho — eu, que me considerava a melhor das mães, de nada adiantei.

Tive a ilusão de que comigo ele se abria, pelo menos me escutava — com aquele olhar distraído. Pensei que nossa ligação fosse excelente, ele sendo um menino difícil. Eu respeitava seu jeito diferente, desculpava suas impaciências, "mãe, não me abraça com tanta força, mãe pára de me tratar feito bebezinho, não me controla!". Tinha certeza de que em qualquer momento crucial de sua vida era a mim que iria recorrer. E não foi assim.

Ele não era um bebê tranqüilo. Não parecia contente no meu colo, só dormia quando eu o deixava sozinho no berço. Era uma criança quase sombria, comparado ao irmão mais velho, um menino forte e alegre. "Criança sombria nem existe", diziam, "você se preocupa demais, cada bebê já nasce com uma personalidade!" Mas ele preferia contemplar as folhas no vento, os grãos de poeira no raio de sol que entrava pela janela, em lugar de brincar. Na escolinha não fazia amigos, batia nos outros e os mordia, ou era objeto de pancada. O pai não tinha a menor paciência, e se dedicava ao outro. Do mais novo, eu imaginava ser a melhor amiga.

Ele, porém, só queria ir embora. Não queria nada do que tínhamos para lhe dar. Dizia isso mesmo, sem maldade nem amargura. Quando criança queria aprender a voar feito passarinho "para ir bem longe daqui". Crescendo, sonhava morar na montanha, armar uma tenda na Pedra da Bruxa, seu lugar preferido, e ser livre.

— Livre de quê, bobão? — perguntava bem-humorado o irmão mais velho.

Aquele meu primeiro filho, perninhas bem firmadas no mundo, um sorriso aberto, gritava de alegria quando a gente o pegava no colo. Cresceu cheio de amigos e projetos, bom na escola, ativo nos esportes, companheiro do pai. Nunca me deu trabalho. Talvez, preocupada com seu irmão menor, eu o tenha deixado um pouco de lado, mas ele nunca parecia precisar de mim. Ao contrário, preocupava-se comigo:

— Mãe, deixa esse menino viver sua vida, é o jeitão dele! Não fique sempre em cima, não seja tão ansiosa — dizia, como se fosse mais maduro do que eu.

O mais moço, filho das minhas aflições, parecia não ter amigos. Na escola olhava de longe a algazarra dos outros. Não fazia questão alguma de ser como o resto da

14 | *lya luft*

turma: ele não tinha uma turma. Mesmo bem pequeno, de vez em quando deitava na cama, até embaixo da mesa da sala, e chorava longo tempo, um pranto sem soluços, de cortar o coração.

O pai se aborrecia:

— Levanta daí, deixa de choramingar feito uma velha, vai jogar bola com seu irmão!

Eu pedia que tivesse paciência, era uma fase. Ia passar. Depois, com jeito, me aproximava:

— Filho, mas o que foi? Vem, conta pra sua mãe.

— Nada, mãe, eu só tenho vontade de chorar.

Uma das professoras chamou minha atenção para seus desenhos: enquanto o irmão plantava casas, árvores, bichos e carros em solo firme, os dele pairavam no ar, miúdos e perdidos na página branca. As pessoas, até a si mesmo, desenhava sem rosto.

— Sem rosto? O que significa isso? — perguntou o pai fechando a cara, e me arrependi de ter comentado.

Criança difícil faz terapia, aconselharam, e meu filho fez. Ia às sessões, já um meninão magro e bonito, mas a psicóloga também se queixou:

— Ele fica ali, quieto, me olhando com aquele ar de quem está pensando em outra coisa.

Depois de muita conversa com a psicóloga e comigo, por um breve tempo o pai tentou se aproximar, levar pra casa da montanha, nadar no rio, ou pescar. O menino ia, sorria debilmente, segurava a vara de pescar sem nenhum interesse, não emburrado ou malcriado, apenas, como em geral, ausente. E nunca aprendeu a nadar.

O pai acabou furioso:

— Esse menino é muito esquisito.

*o silêncio dos amantes* | 15

— Não diga isso, é nosso filho.

— É nosso filho mas é esquisito. Nenhum outro rapaz é assim. Ele parece sempre à margem de tudo. Eu desisto.

Para surpresa nossa, algum tempo depois, o menino, que nunca pedia nada, não participava, na hora do café da manhã disse:

— Pai, domingo me leva no jogo?

— Ué, agora você se interessa por futebol? — o pai duvidava.

— Claro, meus colegas vão com os pais deles, você me leva?

O pai o encarou meio incrédulo, quem sabe participar de atividades mais masculinas dava um jeito naquele filho? Num impulso de seu coração paterno, decidiu não convidar o outro: entendeu que aquele poderia ser um momento só dos dois, o pai e o filho complicado. Comprei camiseta do clube, animei, expliquei, o menino saiu pela mão do pai, entrou no carro e acenou para mim, quase feliz. Na volta, fim de tarde, entraram em casa um pai carrancudo e um menino com rosto inchado de chorar.

— Nos primeiros gritos da torcida, no primeiro gol, começou a chorar feito uma menininha. Ficou assustado, imagine só. Passei vergonha — disse o pai, e foi se fechar no quarto.

Os dois irmãos davam-se bem, mas sem intimidade. Eu raramente os via juntos. Um parecia achar graça do outro. Ele chamava o maior de troglodita, naquele tom de afetuosa implicância que acontece entre irmãos; o mais velho o chamava de queridinho da mamãe, no mesmo tom sem maldade. Quando já era um adoles-

16 | *Iya luft*

cente alto, magro, um pouco desajeitado, naquela manhã fatal em nossa casa na montanha, ele chegou perto do pai quando este pegava a chave do carro, e, num esforço para vencer a barreira da timidez, pediu:

— Pai, a gente pode conversar um pouco?

O pai, desacostumado, espantou-se. Homem racional e direto, disse algo direto e racional:

— Filho, estou atrasado, preciso estar na cidade em uma hora. Na minha volta a gente fala, está bom? — E partiu sem nenhum remorso porque não imaginava o que estava por vir.

O rapaz não insistiu nem pareceu aborrecido. Virou-se e seguiu pelo caminho que entrava no mato, como tantas vezes fazia. Subiu até o lugar que todos chamavam a Pedra da Bruxa: uma saliência de rocha, pequeno platô, bem no alto, de onde se avistavam os morros, o vale, o telhado de nossa casa ao longe. Era o lugar preferido dele. Eu me preocupava, achava perigoso ficar tão na beiradinha, mas ele ria:

— Mãe, não se preocupa, se cair de lá abro as asas e saio voando! — dizia, aludindo ao seu desejo de criança, de ser pássaro.

Meu menino não voltou. Alguém o viu sentado na beira da pedra e o chamou, mas ele pareceu não escutar. Nunca voltou. Nunca mais apareceu, ninguém nunca mais soube dele. Entardeceu, anoiteceu, começamos a nos desesperar. Era dado àqueles passeios solitários, mas não se perdia: seu instinto o guiava como a melhor das bússolas. Conhecia a região desde criança, ali a gente passava férias, feriados, fins de semana.

Na mesma noite, e no dia seguinte e em vários outros, muita gente, o pai e o irmão, às vezes comigo, com

*o silêncio dos amantes* | 17

polícia e amigos, procurou no mato. No rio mergulharam atrás dele, mas nada apareceu. Nem uma roupa, um farrapinho que fosse, rasgado nos galhos ou pedras; corpo algum foi lançado pela torrente que passava no fundo da garganta; nada nas trilhas, nas casas dos colonos, na região inteira. Helicópteros, grupos de busca, cachorros... nada. Depois do que me pareceu um tempo irreal, arrastou-se interminavelmente a complicada burocracia da morte, uma interminável alternância entre otimismo e exaustão. Por fim foi declarado morto. Sem velório, um luto bizarro. Nesse período o pai dele uma só vez se abriu:

— Ele pediu para conversar, e eu recusei. Naquela manhã mesmo. Como pude fazer isso, como não percebi que ele estava pedindo socorro?

Fechada na minha amargura, nem tentei consolar. Ou fiz um gesto qualquer, mas ele se encolheu:

— Eu era pai dele. E na única vez em que precisou de minha ajuda, eu não atendi. Estava atrasado para um compromisso qualquer. Penso nisso cada dia, quando acordo, antes mesmo de abrir os olhos. Eu matei meu filho. Ou pelo menos lhe dei um empurrãozinho.

Eu não soube o que dizer. Ele se debatia com a culpa, eu tentava entender alguma coisa de minha vida feita em pedaços. Nosso filho morto era uma barreira entre nós, e fomos nos afastando. Muito me doía o rapaz não ter procurado por mim. Eu, a sempre atenta, disponível, eu, que me achava tão boa mãe... e na hora fatal ele tinha querido o pai.

O irmão me disse:

— Mãe, acho que naquele dia antes de sair ele quis me pedir conselho. Nunca vou me perdoar. Tentou dizer alguma coisa e eu fiz uma das minhas piadas bestas, falei que ia sair com a minha turma.

Também a ele não procurei consolar.

Devagar, muito devagar, com os anos a vida foi se recompondo. A gente falava, vivia, comia, andava, vinha para fins de semana à casa da montanha — cada vez menos, pois meu marido e meu filho não gostavam mais dali. "Parece que ele vai aparecer a qualquer momento", diziam. Para eles a casa tinha encerrado seu ciclo no enterro simbólico de alguns de seus objetos no cemitério ali mesmo na cidadezinha da montanha: o livro predileto, a camiseta mais bonita, os tênis, a lápide por cima. O nome dele na pedra.

Mas para mim não tinha acabado. Subia sozinha de carro até a montanha, com a desculpa de que precisava abrir a casa, cuidar do jardim. Lá fui construindo uma realidade suportável: meu filho simplesmente tinha alçado vôo. Podia ser loucura, mas me dava força. Aquele não tinha sido seu sonho desde menino? Queria voar, queria ser pássaro assim como o irmão queria ser bombeiro e os colegas queriam ser médico, mergulhador, jogador de futebol. Comecei a acreditar nisso para além de qualquer critério lógico. Não comentei com ninguém, para que não achassem que a dor estava me enlouquecendo. Passei a olhar a Pedra da Bruxa como o trampolim de meu filho para uma vida escolhida. Subia até lá e ficava, como ele costumava fazer, sentada na pedra morna, ao sol, até na chuva quando a agonia era insuportável. Quase esqueci que era casada, quase esqueci meu filho mais velho, que parecia recuperado, mas certa vez me disse:

— Mãe, você continua tão triste, mas eu ainda estou aqui. Parece que eu nem existo.

*o silêncio dos amantes* | 19

Respirei fundo. Ele tinha razão.

— Você é o meu filho que existe, é tudo que eu tenho, que seu pai e eu temos, e é bonito, e bom, e amigo. Mas o seu irmão morreu.

E quando eu disse "morreu" foi tão cruel como se só naquele momento eu estivesse enterrando meu filho que fora embora tão misteriosamente.

Tempo depois apareceu um velho que morava em uma cabana no fundo do mato. Muitos o consideravam demenciado. Dizia que naquela época em que meu filho desaparecera, vira um rapaz sair voando do alto daquele morro, bem ali, na chamada Pedra da Bruxa. "Ninguém voa", disseram, mas ele insistiu.

O assunto chegou aos ouvidos de alguém que sabia da nossa perda, e finalmente consegui falar com ele. Velho, sim. Torto pela idade e pelos trabalhos. Cheiro de fumaça e terra. Mas no rosto, quase de um macaquinho, me fitavam dois olhos bem atentos. Não era doido nem estava inventando. Sim, ele tinha visto, há um bom tempo, um rapaz sair voando do alto daquele morro, "a bem da verdade foi da Pedra da Bruxa", ele disse na sua voz alquebrada.

— Mas ninguém voa, gente não voa, moço — consegui dizer, coração batendo em falso.

Meu marido apertou minha mão e não falou nada. Queria que eu interrompesse aquela conversa de loucos, ele não acreditava em nada daquilo, achava que ia me fazer mal. Mas o velhinho falava diretamente comigo, como se meu marido nem existisse:

— Pois, dona, aquele voou. Sim senhora. Eu estava junto do riozinho pescando, e dali enxergava a Pedra da

Bruxa, sim senhora. Primeiro só vi a pessoa ali sentada sozinha e achei que era um perigo ficar tão na beirada. Quando olhei de novo a pessoa estava de pé. Parecia um rapaz. E abriu os braços, mas não se atirou: saiu voando feito uma garça, devagarinho, meio planando, e não era depressa não, era devagar. Bonito de se ver, dona. — Me olhou bem dentro dos olhos, condoído. — Dona, eu não sei explicar. Não sei nem ler nem escrever. Não sei como ele fez, até pensei quem sabe tem algum motorzinho feito de avião. Tanta coisa moderna...

Eu não sabia o que dizer, e se soubesse não teria tido voz nem força. O velho acrescentou no mesmo tom monocórdio, botando no meu braço a mão escura e enrugada:

— Eu também tenho filhos, dona, perdi um deles, já grandinho, eu sei como dói. Mas o que eu vi, eu juro, foi isso mesmo. Seu menino não morreu, dona, ele voou. — Dizia "avoou", e eu teria achado graça se não estivesse estarrecida.

Meu marido o levou dali, gentilmente, quis lhe dar um dinheiro, que o velho não accitou, mas aceitou uma carona de carro até algum lugar perto de onde morava. Meu marido se recusou de todos os jeitos até a mencionar aquela visita e não voltou mais para a casa da montanha.

A minha vida mudou. Aquilo apenas confirmava minha fantasia: não era fantasia. Meu filho ainda existe, o meu menino voador. Ele voa, e agora de noite às vezes chega aqui nesta velha casa de madeira junto do mato, para onde cada vez mais eu venho, já no trajeto o coração batendo forte na esperança de que alguma coisa aconteça. Um dia vou abrir a porta e ele vai estar ali. Ou

*o silêncio dos amantes* | 21

vou erguer os olhos para a Pedra e avistá-lo de longe. Não importa quanto tempo já se passou: eu sou a mesma, o amor é o mesmo, e a esperança.

Meu filho perdido não se quebrou todo no fundo da garganta muito abaixo da Pedra da Bruxa. Não foi empalado por um galho de árvore mais alta. Não se afogou naquele rio onde o procuraram tanto, cujas margens percorri incansavelmente chamando o nome dele ou dizendo baixinho, você está aí no fundo, meu filho? Acorde, veja a dor da sua mãe. Ele apenas foi para algum lugar onde se sente bem, onde sente que faz parte, onde é sua casa. Onde desfruta de tudo o que eu não pude lhe dar. Sabe do meu sofrimento, por isso vem. Sinto quando chega no seu vôo lunar. Pousa nas velhas telhas que há muito não trocamos, porque meu marido quer vender a casa. Claro que não vou concordar. Na cidade agora moramos num apartamento, e meu filho não saberia chegar lá. Mas aqui ele vem. Como um imenso inseto agarra-se nas telhas, a pele rebrilha na lua, tem um par de espantosas asas translúcidas, ele que tanto queria voar.

Um dia vai pousar na grama. Vou abrir a porta e ele vai entrar. Vai me abraçar, sorrir para mim, vai pegar minha mão, e quem sabe pela primeira vez vamos de verdade falar.

Ou calar — num silêncio melhor do que qualquer palavra.

# 2 | O anão

— Você não foi parido, foi cagado! — gritou meu colega no pátio da escola durante o recreio. Muitos começaram a rir, apontando para mim como faziam tantas vezes. As meninas fizeram "ooohhhh!" botando a mão na boca. Mas o outro menino, estimulado pelas risadas, repetiu: — É isso mesmo, meu pai disse que você não foi parido, foi cagado!

Não havia nenhum adulto por perto, e não fiz queixa a ninguém. Estou acostumado. Esses insultos me fortalecem, fortalecem o meu ódio. Minha tristeza também, eu choro muito, escondido. Mas acho que a raiva me ajuda mais. É como se nessas horas eu crescesse um pouco, ficasse alto e poderoso como um balão em forma de pessoa, cheio de um gás venenoso. Se eu estourar, todo mundo morre. Meu pai também.

Na manhã seguinte resolvi pedir que ele me ajudasse, afinal é meu pai. Ele me gerou, portanto é o responsável. Nunca lhe peço nada. Procuro até evitar que me note, porque sempre tem para mim uma palavra dura, um gesto de desprezo, um olhar gelado.

Estou sentado em minha cadeira, sobre almofadas — porque, embora já tenha feito dez anos, sou pequeno

*o silêncio dos amantes* | 23

demais. Pequeno sem remédio. Pequeno e deformado. Minha mãe a meu lado quer me agradar e prepara meu pão com geléia, que corta em pedacinhos como se eu, além de anão, fosse incapaz. Me serve leite com chocolate e uma fruta. Junto do prato, sempre as pedrinhas coloridas que são meus comprimidos. Muito remédio para ser saudável e para crescer. Mas eu não vou crescer. Minha mãe ainda tem esperança. Meu pai insiste com ela, irritado:

— Você tem de aceitar a realidade, mulher! Seu filho é anão. Ele não vai crescer, não vai ser o rapaz bonito que você queria. Eu também queria, mas não vai acontecer. Sonhar desse jeito não ajuda. É preciso ser realista.

— Ele é seu filho também, você podia pelo menos ter um pouco de compaixão.

As brigas deles quase sempre giram em torno de mim.

Minha irmã chega, no seu mau humor habitual. Passa atrás de mim e faz um carinho na minha cabeça, dizendo:

— E daí, baixinho.

Tenho ódio quando ela diz isso, mas é o que repete todo dia. Porém ela é a única pessoa além de minha mãe que fala comigo de verdade, até brinca um pouco quando está mais bem disposta. Mãe não conta, porque me pariu e me ama com aquele amor aflito e culpado. Acho que para minha irmã eu sou um tipo de animal de estimação da casa, que a gente agüenta por perto, de vez em quando lembra que é um ser vivo, aí passa a mão na cabeça, e até gosta. Por fim, meu pai desce as escadas com seu passo forte, entra na copa, imenso, senta-se à minha frente na mesa, e mal me olha. Rosna um bom-dia e enfia a cara no jornal. Para não me ver, imagino.

Agora somos uma família completa, com seu anão-zinho, na mesa do café da manhã.

Eu sou um anão. Não adianta as pessoas fingirem que só estou demorando a crescer. Fui levado a médicos demais, fiz exames demais, escutei sussurradas estranhas palavras demais, para não me dar conta do que sou. Quem sou. Também pesquisei na internet, pois para essas coisas sou esperto. Sou inteligente, praticamente aprendi a ler sozinho, muito cedo, no computador.

Não sou apenas um menino que não vai crescer. Sou daqueles anões feiosos, vivo sobre perninhas muito curtas, bamboleio ao caminhar. Nada em mim é bonito. Não gosto do jeito que estão ficando as minhas mãos, gordas e com dedos muito curtos; meu rosto é escavado acima do nariz, a boca de lábios grossos meio abertos, a testa abaulada, a cabeça enorme: ela tem tamanho normal. Meu corpo, não.

Minha vida é difícil porque o mundo todo é tão grande. As coisas são inatingíveis para alguém do meu tamanho. Nem uma laranja consigo pegar sozinho na mesa da copa. Preciso dos outros para tudo, e meu pai se recusa a adaptar ao menos alguns móveis à minha altura. A empregada botou um banquinho na copa, assim posso apanhar frutas. Posso carregar o banquinho para outros lugares e pegar livros, sentar nas poltronas. Meu pai, quando pode, tira o banquinho, esconde. Diz que preciso me acostumar ao mundo real, que não posso ficar carregando um banquinho pela vida afora.

Meu pai é a pessoa maior de todas. E não gosta de mim — na verdade acho que sente horror e repugnân-

*o silêncio dos amantes* | 25

cia. Não aceita que alguém como ele, tão alto, poderoso, importante, que cuida da saúde, faz ginástica e corre nos fins de semana, tenha produzido um filho desses. Sempre que levanto os olhos e vejo que está me encarando, sinto que gostaria de me apagar. De me deletar da paisagem como se faz no computador: deleta, e acabou-se. Eu não acabo, não desapareço como ele gostaria. Minha única colaboração é ser tão pequeno, ocupar pouco espaço, dentro destes limites apertados que me sufocam. Mesmo assim, eu sei que ofendo os outros. Só porque existo, ofendo os outros.

É um sacrifício ir à escola. Os meninos são brutos e grandalhões, e acham graça de mim, ou têm medo da minha esquisitice — isso aparece no seu olhar oblíquo quando pensam que não estou vendo. Os móveis na sala de aula também ficam fora do meu alcance. Para começar, a cadeira é alta demais. Subo pisando num banquinho parecido com aquele de casa, parece que estou escalando uma montanha. Aí sento sobre uns livros empilhados, ou não alcançaria a mesa. Mas gosto de algumas aulas, e gosto de ler. (Mais do que tudo, eu gosto de me transformar, mas isso só faço no quarto, sozinho, de noite, e no escuro.)

Meu quarto de anão, com minha cama de anão, esse sim, tem tudo à minha altura. Minha mãe mandou fazer um quarto especial, quando depois de alguns anos começou a perceber que eu sou assim, eu sou eu. E minha cama, uma caminha baixa e curta, na verdade um berço de pernas cortadas, está encostada numa prateleira. Basta estender meu bracinho, pegar um livro e fugir para dentro de uma história. Ou entrar nas minhas próprias fantasias.

No café da manhã reina silêncio. Meu pai deve pensar no trabalho, minha irmã no namorado, e minha mãe e eu pensamos em mim. E quando alguém começa a conversar, meu pai diz que ali é lugar de comer, não de falar. Minha irmã reclama:

— Poxa, pai, a gente está no século vinte e um!

Raras vezes ele comenta alguma coisa com minha mãe. Em geral, encara o mundo furioso com aqueles olhos verdes por cima dos óculos. Quando me fita desse jeito eu me sinto aniquilado. Preferia não existir. Eu não falo à mesa quando meu pai está. Eu não crio problemas. Eu já sou um problema. Mas nessa manhã resolvo falar:

— Pai, eu preciso que o senhor me ajude.

Ele se espanta. Aquele anãozinho tem coragem de interromper sua leitura do jornal, no café da manhã, quando ele quer silêncio e sossego? Minha mãe pára com o bule a meio caminho, ia mesmo servir mais uma xícara ao marido. Mas hoje estou corajoso, e digo bem alto com minha voz esganiçada:

— É isso, pai, preciso que o senhor me ajude.

Ele larga o jornal sobre a toalha, me encara. É tão raro ele me olhar de frente, que vejo que quase nem me reconhece, aquilo é mesmo seu filho?

— O que você quer? — pergunta na sua voz forte de pai.

— Tem uns colegas na escola que me aporrinham mais que o normal, você não pode falar com o professor? O diretor?

Ele pensa um pouco, não sabe se vai se zangar ou ignorar o assunto. Depois indaga:

— Mas eles fazem o quê? Eles te batem?

*o silêncio dos amantes* 27

— Bater mesmo, não, de vez em quando um peteleco na cabeça, mas com isso eu estou acostumado. Um deles gritou uma coisa muito feia quando me viu. No recreio. No pátio. Na frente de todo mundo.

Minha mãe recupera a fala e intervém:

— Mas o que ele disse?

— Que eu não fui parido. Fui cagado. Que o pai dele falou isso.

Minha mãe faz "ooohhh" feito as meninas da escola, cobre a boca com a mão. Minha irmã levanta os olhos do prato e começa a rir. Meu pai lhe dá um tapa na cara, tão inesperado que eu também agora faço "ooohhh!". Minha irmã começa a chorar alto e sai correndo da mesa, sobe as escadas, vai se trancar no quarto, e enquanto corre repete alto "merda, merda!".

Já estou arrependido de ter falado. Eu perturbei a manhã, estraguei o dia. Não basta estragar a vida de todos eles com minha simples existência, ainda venho com mais problemas. Minha mãe começa a repetir, que horror, que coisa mais horrível, como podem fazer uma coisa dessas com o meu filhinho. Faz um carinho na minha cabeçona, e me abraça.

Meu pai agora me olha de novo. Não se perturbou nem um pouco por ter dado um tapa na filha. Inclina-se para diante, para mim, até sentado ele é imenso.

— Ele disse o quê mesmo?

— Que eu não fui parido. Fui cagado.

Normalmente ele teria reclamado do palavrão, mas desta vez só se endireita, respira fundo. Mais um drama, mais uma chateação. Agora minha mãe não o deixará em paz até ele procurar o menino, o pai do menino, o professor, o diretor, e esclarecer. Esclarecer o quê? Que eu fui parido? Eu me arrependo muito de ter falado, mas um dia alguém vai ter de me ajudar. Então, depois de pensar um pouco, meu pai decide:

— Olha, todo mundo tem problemas na escola. A mim chamavam de magrela, de girafa, porque eu era muito magro e alto demais. Você é baixinho. Manda que se lixem.

Minha mãe tenta ajudar:

— Diga pra seu colega que você é baixinho mas pode crescer, ele é burro, e isso não tem conserto. — Ela tenta sorrir como se fosse engraçado.

Seria engraçado em outra família. Nesta minha, não tem graça nenhuma. Apenas mostra que, apesar de tudo, minha mãe não aceita a realidade. Meu pai levanta da mesa, o pão, a fruta, tudo quase intocado. Já de pé, pega a xícara e toma o resto do café, depois sai sem dizer mais nada, jornal dobrado embaixo do braço. Minha mãe sentada do meu lado tenta uma conversa, mas eu me fecho. E ela sabe que quando não quero conversa, é definitivo. Ela me conhece. Um pouco.

Nos dias seguintes minha irmã parece mais aberta comigo, diz "e daí, rapazinho" em vez de "baixinho", e até comenta alguma coisa da escola, embora ela já esteja entre os alunos grandes, nas classes adiantadas. Chegamos a rir juntos de alguma bobagem que aconteceu com ela. Minha mãe me abraça com mais força nesses dias, e isso me incomoda. Meu pai anda mais irritado do que o normal. A qualquer falha minha, reclama, aos gritos:

— Seu porco, sujando a toalha ao redor do prato, parece que um porco comeu aí!

Ou:

*o silêncio dos amantes* | 29

— Você não vê que a sopa está escorrendo da sua boca? Pega o guardanapo, seu porco.

Minha mãe protesta, meio chorosa, não chama o menino de porco, mas meu pai repete:

— Porco, sim, ele pode ser anão mas não precisa ser relaxado! — E fala isso na minha frente. Mais tarde discutem na sala e eu escuto:

— Você precisa tratar esse menino de outro jeito, ele está mimado, não tem modos, é um chorão, vai ficando cada dia pior!

Quando está zangado, o que é quase todo o tempo, ele nunca diz nosso filho, sempre seu filho, como se eu fosse só dela. A filha é dele; o porco é dela. Assim é a minha vida. Escola, conflito com colegas, visitas aos médicos, que não dizem nenhuma novidade, porque eu sou um anão muito esperto. Leio muito e pesquiso "nanismo" na internet. Eles me tratam como se eu fosse um bebê, mas sou um menino de dez anos com uma alma enrugada e triste.

Apesar de tudo eu tenho meus poderes. Durmo muito pouco, e ando pela casa à noite quando todos dormem. Vago pelo corredor, abro uma fresta nas portas, espio e espreito as pessoas. Meus pais dormem cada um bem na beira da cama, cada um do seu lado, de costas um para o outro, e sempre dormem assim. Minha irmã dorme abraçada com um travesseiro. A empregada dorme com seu bebê. Só eu não durmo, e não tenho a quem abraçar. Pego um livro e entro na história, escapo sem que ninguém perceba. Ou crio minhas aventuras.

Eu não sou um anãozinho mau. Não rasgo com gilete a roupa de minha irmã, não corto com tesoura a ponta da orelha do bebê adormecido, não enfio uma faca no pescoço de meu pai. Com minha mãe, eu nunca faria maldade nenhuma. Mas, acordado quando os outros dormem, eu tenho algum poder. Aí eu cresço, fico alto, fico bonito.

Porque eu sei me transformar. Em coruja, para voar de noite por cima dos telhados; em cavalo, um cavalo cor de prata com crina cor de leite, para disparar em campos que nunca vi. Em sapo. Em aranha. Em um rapaz grande e forte. Ninguém nunca vê nada disso, porque faço em segredo. Um anão tem de ter sua vida secreta, ali onde ninguém grita com ele, ninguém lhe dá tapas na cabeça, ninguém berra insultos e ninguém acha graça.

Sei que não vou viver muitos anos. Meu corpo reduzido dói, meus ossos comprimem tudo dentro de mim. Acho que meu coração, meu estômago, tudo, continua crescendo. Então como vai ser? Vou ficando cada dia mais cansado e mais triste. Nem consigo ter ódio quando algum colega ri de mim. Isso é ruim: o ódio me dava força.

Na mesa do almoço derramei feijão na toalha porque teimei em me servir sozinho, embora seja muito difícil alcançar as travessas, e minha mãe quer fazer tudo por mim. E quando ainda por cima deixei escapar um pouco de comida da boca e ela escorreu sobre minha roupa, meu pai teve um acesso de fúria. Jogou o guardanapo na mesa, largou os talheres com força no prato, levantou com tal fúria que a cadeira caiu para trás. E gritou de novo que sou porco, sou um porco e nunca vou me corrigir.

Por fim ainda gritou com minha mãe:

*o silêncio dos amantes* | 31

— A culpa é sua! Além de me parir essa coisa, você o trata como se fosse um príncipe. Que família nós somos, que família?

Saiu pisando com ódio, bateu a porta da copa, bateu a porta da casa, bateu a porta do carro e arrancou ainda furioso. Ele bate em tudo porque não pode bater em mim. Sou pequeno demais. Sou um pobre anãozinho encolhido na sua cadeira. Aí eu fui escorregando para o chão, e deitado embaixo da mesa comecei a grunhir baixinho.

Quando minha mãe, que tinha corrido atrás do marido tentando acalmá-lo, voltou e se abaixou para ver o que eu estava fazendo, levantei os olhos para ela, sacudindo meu rabinho retorcido, contente porque achei que ela ia me pegar no colo. Mas ela, boca muito aberta, só gritava, meu filhinho, meu filhinho!

Então saí em disparada pela casa, esbarrando nos móveis, nas pernas das pessoas atônitas, guinchando feito louco.

Pelo espanto, agora eu era poderoso.

# 3 | *O aniversário*

No dia dos seus muitíssimos anos, acordou como de costume, emergindo sem susto nem alarma. Ele não estava a seu lado, percebeu sem estender a mão nem abrir os olhos. Algo mais concreto do que tato e visão lhe dizia isso: fazia parte do fluir incessante entre os dois há tantos anos. E lhe dava uma sensação de conforto, saber que tinham essa ligação. Depois abriu os olhos e divisou o quarto, cada detalhe tão familiar, o Buda de madeira sobre a cômoda, a veneziana da sacada entreaberta revelando o parque com árvores escuras brotando no nevoeiro que encobria o gramado. Por cima já havia sol. Aí acendeu-se a luz dentro dela, num misto de comicidade e espanto: Nossa! Hoje é meu aniversário! Quantos anos? Tudo isso? Impossível eu ter vivido tanto! Eu sou sempre a mesma!

Ainda aterrissando do sonho no conforto da preguiça, soube que era aquilo mesmo, e achou graça. E como fazia desde menina bem pequena, como já tinha feito sua avó, e agora fazia uma de suas netas, começou a rir, apertando os olhos. Não ri assim que dá ruga!, reclamava sua mãe num tempo longínquo. A vida lhe pregava uma peça divertida, ou melhor: ela estava pregando

*o silêncio dos amantes* | 33

uma peça nos outros, fazendo tantos anos e sentindo-se a mesma que, em criança, ria sozinha no escuro quando, ao acordar, lembrava de algo engraçado.

Tinha o dom às vezes incômodo de achar graça das coisas mais disparatadas, em que os outros não viam nada de cômico. Às vezes seu frouxo de riso, inesperado e incontrolável, a fazia levar castigo na sala de aula, ou ser tirada do cinema pela mãe entre risonha e zangada:

— Menina, todo mundo está olhando para a gente, pára com isso.

Ela não conseguia parar. Agora conseguiu. Nada de risada, dessas que no meio da noite acordavam o marido, que perguntava com sua voz de sono, Do que você está rindo, sua doidinha?, e voltava a dormir. Suspirou, bocejou, espreguiçou-se, olhou sob o lençol o corpo que fora grande e cheio e agora estava quase magro. Pensou, eu gostava de mim gorda, todo mundo implicava, mas eu era assim. Aquela era eu. Essa de agora quem é, com essa canela fina, esse pé ossudo?

A idéia da idade avançada a fez sorrir de novo. Vamos, menina, é hora de levantar. Saiu da cama, foi até o banheiro onde estavam seus perfumes e potes coloridos, do outro lado da pia os objetos do marido, as duas escovas de dentes no copo azul, doce marca de intimidade. Teve de se apoiar na cadeira, na maçaneta da porta, e na pia, mas ficou firme e foi até lá.

Enquanto lavava o rosto, escovava dentes e cabelo, um cabelo ainda basto que prendia na nuca há tantos anos, lembrou que à noite haveria festa. Amigos, filhos, netos e netas, iam fazer uma surpresa que ela, evidentemente, intuíra e alguém acabou confessando. Antecipou a pequena euforia de uma taça de champanha, e se divertiu de novo, lembrando de quando, ainda jovem, visitava uma amiga — mais moça do que ela agora — e as pessoas se espantavam, ninguém tomava uísque com uma velhinha, era chá!

Vestiu o robe azul com cegonhas brancas, comprado numa viagem à China, vinte anos atrás. Ou eram trinta? Fiquei mais bonita, assim magra, pensou. Mas, teimosa, repetiu para si mesma: Porém eu era mais real sendo grandona daquele jeito meu.

Voltou para o quarto, foi até a varanda, aspirou o cheiro de árvores e capim recém-cortado no parque, onde o nevoeiro baixo se desfazia enroscado nos troncos. Fechou os olhos ao sol, sentiu-se feliz. Sol dá câncer de pele, vovó, na sua idade é veneno!, diria a neta médica. E ela iria responder, filha, na minha idade, não tem mais importância — e diria isso sem nenhuma amargura, achando apenas natural. Achando graça. Tudo tão simples. Por que as pessoas colocavam a felicidade numa viagem, num monte de dinheiro, num belo corpo, em sucesso profissional? Felicidade estava disponível ali tão perto, na manhã diante da varanda. No marido preparando o café, logo ele entraria no quarto com a bandeja, café, fruta e uma flor. Ela gostava de ser mimada, e às vezes ele gostava de a mimar.

Sentindo-se um pouco cansada, e antecipando o dia agitado, voltou ao quarto e deitou-se em cima da coberta antes de começar a se vestir. Embora mais frágil, estava numa plenitude singular. O corpo já não a carregava como antes. Custava levantar-se de uma cadeira, às vezes para caminhar usava uma bengala com castão em forma de sapo, um sapo simpático, ou outra de corvo, que as crianças adoravam, é bengala de bruxa, vovó.

*o silêncio dos amantes*

— Claro, vocês não acreditam que eu sou bruxa?

Não tinha mais o velho ímpeto de se mover, cada dia mais gostava de escutar o vento, a chuva, os passos do homem amado no corredor, a chave dele na porta do apartamento. Cada dia gostava mais de olhar as árvores com seus infinitos tons verdes. Encantava-se com as visitas dos netos e agora bisnetos, a correria das crianças, a atenção vagamente preocupada dos filhos. Deviam pensar, está tão velhinha, quanto tempo ainda a teremos conosco?

Agora, por exemplo, queria deitar-se outra vez um pouco e ficar pensando em todas as coisas boas que a vida lhe dera, maiores do que as perdas que tanto receara desde menina e que a tinham feito sofrer duramente. Fora acompanhada pela sombra do medo de perder tudo que amava — e amava tantas coisas. Na alternância entre felicidade e dores, a amargura não era sua marca e suas nostalgias agora não eram tristes. Antes, pensava: como era bom o cheiro da casa de meus pais, como era encantado aquele jardim, como afinal eu me sentia protegida. E amada, talvez fosse isso, sempre se sentira amada. E sempre pudera amar. Essa era a luz permanente, maior que todas as sombras.

Refletindo nessas coisas, deparou-se com aquele objeto no meio do quarto. Não ficou muito surpresa. Sentiu curiosidade pela esfera translúcida, uma gelatina do tamanho do mundo, ali mesmo no seu quarto, feito uma bolha de sabão colorida. Não teve medo nem susto, apenas encantamento. Era um presente para o seu dia? Como não a tinha visto antes?

Saiu da cama e sentou-se no chão. Estava mais ágil outra vez. Encostou o ouvido na esfera, que era secreta e viva. Isso é um mistério, pensou. Tudo é muito misterioso, ela sempre tinha achado isso: nascer, viver, ter de morrer... ou mais simples do que se imaginava, e um dia a gente haveria de descobrir. Ainda vestida como estava, desalinhada como não era seu jeito — mas com pressa de entender aquilo —, encolheu as pernas, joelhos junto ao rosto. Tocando a esfera com a ponta dos dedos, encostou nela o ouvido e ficou à escuta. Lá dentro girava um rumor de mar, de muitos mares. Estranho, pensou, eu nem gostava tanto do mar. Mas perguntou em voz baixa sem de verdade esperar resposta, embora soubesse que a resposta estava ali dentro:

— Onde estão todas as coisas que amei e perdi ou deixei, todas as pessoas?

Encostou a boca na grande bolha que estremecia ao ser tocada, e perguntou, nítido, mas baixinho e devagar:

— Vocês estão aí?

Então escutou: vozes vozes vozes falando falando falando, algumas bem familiares; palavras enredando-se em silêncios de conchas sopradas, o mar virando ondas num tempo sem fim. Seria bom estar ali, sem preocupação nem pressa, sem compromissos, cansaço nem dor. Sem medo de perder nada, nunca mais, pois os que tinha perdido com tanta dor seriam reencontrados. Era só escutar aquelas vozes como folhas, como gotas, como risos. Ou eram silêncios? Calar ou falar ali dentro era a mesma coisa. Que alívio, pensou, nunca mais haver mal-entendidos.

Com a ponta dos dedos abriu um buraquinho na bolha infinita, e formou-se uma fenda. Sem grande esforço, empurrando cabeça, braços, ombros, finalmente escorregou como se nadasse, e mergulhou naquele outro mar. Enquanto deslizava, ainda perguntou:

*o silêncio dos amantes*

— E agora eu vou nascer?

Quando o marido a encontrou, deitada de lado sobre as cobertas remexidas, robe azul mostrando o pijama com rendas, porque mesmo na intimidade detestava coisas feias, não parecia ter sofrido, nem parecia dormir. Parecia contemplar algo bem próximo: as pálpebras entreabertas, a boca preparada para um recado muito especial, que já não poderia dar.

No velório disseram as habituais banalidades, tantas vezes falsas: está tão bem, parece dormir... vejam, ela está sorrindo! Mas não era nada disso, agora. Era, já de olhos cerrados, pura contemplação de outra coisa. Nem ostentava aquele ar que os mortos às vezes têm, de que agora sabem de tudo.

Ela corria leve e livre, numa linguagem sem palavras, num tempo sem medidas, numa luz sem sombra: assombro.

# 4 | O que a gente não disse

Eu não estava preparada. Nem quando parava para pensar na vida tinha imaginado aquilo. E não era muito de pensar na vida. Apenas cumpri minhas tarefas, e sei que fui uma boa mulher para meu marido.

Quando me virei, esperava vê-lo andando em direção ao carro para mais um dia de rotina. Nem sei por que me virei. Ele era a criatura mais próxima e mais comum na minha vida comum, e eu não esperava nenhuma surpresa. Tínhamos feito isso milhares de vezes, a despedida trivial, cada um seguindo para suas atividades — também triviais. Mas dessa vez ele continuava parado, ombros caídos, parecendo particularmente cansado. Nos olhos uma expressão que só mais tarde entendi: era o seu último olhar — e ele não me disse nada. Eu, que toda noite dormia a seu lado, nada percebi. Ou vinha notando de um jeito difuso uma tristeza, quem sabe um desejo de falar, ele que era tão contido? E não éramos muito de falar. Quase voltei, quase perguntei o que havia. Mas desisti e fui em frente, com a leveza dos que ignoram. Em vez de indagar, varri minha

*o silêncio dos amantes* | 39

breve inquietação para debaixo do tapete, como a gente costuma fazer.

E se eu tivesse perguntado?

E se ele tivesse me dito?

Se eu tivesse merecido saber?

Isso me atormentou por longo tempo. Eu me sentia muito culpada. Hoje, acredito que não saber é o que torna a vida possível.

Escolheu o seu lugar preferido, e fui eu que o encontrei duas horas depois: ele sabia que eu o encontraria, nesse jogo de conhecer e desconhecer de qualquer relacionamento. Despediu-se de mim, foi ao laboratório onde trabalhava, pegou a poção que tinha preparado, a seringa, a agulha, e foi de carro até a árvore que amara tanto, logo fora da cidade. Sentou-se na sombra ampla e maternal que lhe faltara toda a vida, isso ele dizia, eu nunca tive mãe de verdade. Mas falava sem raiva, aparentemente sem sofrimento.

Eu teria de passar por ali, voltando de uma floricultura onde ia apanhar coisas para o nosso jardim, isso ele sabia. Muita gente deve ter passado por lá antes de mim, sem dar importância a um carro no acostamento, ao homem descansando embaixo da árvore. De longe reconheci o carro dele, e antes mesmo de começar a frear vi meu marido, sentado, encostado no tronco, como se, olhando o movimento na estrada, tivesse tirado uns minutos para refletir em alguma coisa importante demais para ser pensada na agitação do superficial cotidiano.

Saí do carro e fui andando até ele, com cuidado porque parecia cochilar e eu quis lhe pregar um susto. Mas uma ansiedade louca começou a se revolver em mim, e quando cheguei junto dele quase vomitei. Estava morto.

O rosto um pouco voltado para cima, corpo encaixado numa concavidade do tronco, como um berço preparado só para ele. Por isso não tinha escorregado para o capim.

A seu lado brilhavam, no sol filtrado entre as ramagens, a agulha e a seringa. Não precisei de mais nada para entender.

Então o parceiro de minha vida havia me abandonado por vontade própria, da forma mais definitiva, embora, eu sabia, me amasse também. Mas não o suficiente para querer ficar. Depois me disseram que foi instantâneo. Instantâneo não diminuía minha dor. Nem dizerem durante o velório que ele estava bem, estava bonito, estava tão sereno, sempre fora um homem tranqüilo. Odiei cada um daqueles comentários, eu entrava num longo período de incerteza e culpa. Como eu não tinha percebido, em que eu havia falhado, eu e meus filhos já homens feitos, em que o havíamos abandonado com tamanha crueldade, se o amávamos tanto?

Embora parecesse satisfeito com sua vida simples, dentro dele uma força o consumia. A única estranheza dele, que eu lembre, era aquele sonho que de vez em quando relatava. Estava sendo chupado por um funil estreito e vertiginoso, que girava e girava, e no fundo via-se um buraquinho minúsculo, a morte. Só com grande esforço, às vezes com um grito, ele conseguia resistir. Nesse momento acordava e me acordava também. E cada vez que a gente falava, tomava café na mesma mesa, comentava notícias da televisão, trocava brincadeiras no computador ou até se abraçava na cama, mesmo que ele não comentasse aquela sedução continuava. Aquele apelo. Nem o deixou esperar o curso

*o silêncio dos amantes* | 41

natural das coisas, envelhecer a meu lado, ter alguma doença fatal, sofrer um acidente: ele se entregou voluntariamente, jogou-se no seu abraço escuro e me deixou.

Deve ter sido imediato: a picada, o alívio da morte: *oblivion*, onde li essa palavra? Esquecimento. Silêncio para sempre.

Palavras podiam ter salvado a sua vida? Teriam poupado a minha dor, recomposto os nossos laços deteriorados e a gente fingia que não? Mas porque a gente se conhecia tanto, nem procuramos por elas. Palavras usam máscara de tragédia ou nariz de palhaço, abrem campos queimados até a raiz da última plantinha, como os que se estendiam entre nós. Eu achava que estava tudo bem, a vida era assim, casamentos eram assim, com sua dose de silêncio e desencanto.

Era o que eu pensava. Para mim, o que tínhamos era tudo. Para ele, não bastava. Como tantos homens bons rompem com sua vida bem enquadrada e, numa paixão iluminante, largam tudo e só querem aquele novo amor, aquela nova vida, arrancando tudo pela raiz, ele seguiu o seu desejo.

Sem que eu soubesse, as coisas não ditas haviam crescido como cogumelos venenosos nas paredes do silêncio, enquanto ele ficava acordado na cama, fitando o teto com o branco dos olhos reluzindo na penumbra. Se eu interrogava, o que você tem, amor? ele respondia que não era nada, estava pensando no trabalho. A gente sabia que era mentira, ele sabia que eu sabia, mas nem um de nós rompeu aquele acordo sem palavras. Nunca imaginei o mal que o roía. Era impossível qualquer coisa tornar a morte algo melhor do que tudo que tínhamos. Isso era o que eu achava. Ele também falava pouco no passado, a infância numa cidadezinha do interior, o monte de irmãos, os pais morrendo cedo, ele responsável pelos menores. Haveria ali, com uma raiz venenosa, alguma coisa tão triste que o levava a querer morrer?

Antes nunca pensei nisso. A gente não comentava nada que nos perturbasse. Eu era uma pessoa muito prática, para mim importava o presente. Vivia ocupada sendo feliz, tentando fazê-lo feliz, organizando família, parindo filhos, levando as crianças para a escola, indo às reuniões de pais. Estava distraída sendo fútil, sendo alegre, sendo realizada com meu marido amado e meus filhos saudáveis, gastando pouco em roupas minhas, botando termômetro quando um deles estava com febre, fazendo bolo nas tardes de sábado.

Ele pensava em morrer. Preparava-se para isso. Deve ter levado anos premeditando a morte e criando coragem. Qual a substância mais rápida, indolor e eficaz que iria escolher no laboratório. Que agulha, que seringa, que lugar, que hora, que dia. Teria pensado em mim? Teria pensado nos filhos e na perplexidade deles? Teria imaginado meus tormentos, por ter sido tão superficial e limitada enquanto ele se dilacerava?

Morrer devia ser como parir a si mesmo. Eu em cada parto me senti um bicho acuado, mas pensava: vai chegar ao mundo através de mim uma nova pessoa, que coisa maravilhosa. E isso me dava força. Na morte, o que estará nascendo? Quando o velamos, e quando estava enterrado, nossos filhos solteiros, e o filho casado com sua mulher e crianças, ficaram por perto tentando entender e descobrir algo em mim, pedindo uma palavra, uma explicação.

*o silêncio dos amantes*    43

— Mas como, mamãe, você nunca percebeu nada, nosso pai era tão infeliz que se matou, e a senhora não viu nada?

— Não, meus filhos. Nunca percebi. Para mim ele era meu homem, pai de vocês. Deitava comigo na cama, ia para o trabalho, me dava um beijo de despedida todas as manhãs e um beijo de chegada todas as noites, e pagava as contas. Nunca reclamava de nada em especial. Parecia um homem contente com sua vida. Não era. E eu não percebi.

Com o tempo deixamos de falar no assunto e cada um resolveu essa dor do seu jeito. Mas em mim, essa agonia ainda se mexe como um grande verme inquieto. Não sei se teria adiantado a gente saber. Não sei se conversas ou psiquiatra ou médico ou padre teriam ajudado. Sei que ele escolheu o caminho, o fim. Eu ficaria de fora. E se a árvore não estivesse ali, aquela que ele sempre mencionava e admirava, se eu tivesse sido mais atenta, se ele tivesse confiado mais em mim, se a agulha tivesse se quebrado, se eu tivesse chegado uma hora mais cedo, se ele fosse mais feliz? Mas nada disso aconteceu, e assim matou-se quem eu amava.

Apesar de todos os pratos que lavei, das camisas que passei, da casa que limpei, dos lençóis que dobrei, das flores que botei na sala, do muito que economizei, dos filhos que pari, cuidei e encaminhei, do carinho bom que partilhei — não tive grande valor para ele. Valor tinha essa que o aguardava e o acolheu debaixo da árvore que ele apontou milhares de vezes passando por ela de carro, e repetia sem notar que se repetia:

— Olha só, parece uma grande mãe. Como deve ser bom dormir ali embaixo.

Foi o que fez.

Depois da despedida e do olhar que era o último, mas eu não sabia, voltei para a nossa vida, enquanto ele, caminhando até seu carro, o mesmo velho carro de sempre, apalpava no bolso do paletó o frasquinho, a seringa, a agulha, pensando que logo estaria para sempre com a sua poderosa amante, que afinal venceu.

Porque em tantos anos, tantos acomodamentos, tantas pequenas brigas e tantas descobertas em comum, os filhos, as férias, as doenças e as alegrias, e as contas a pagar, a gente nunca falou no mais importante — que eu agora não tenho mais como saber.

# 5 | *Bebês no sótão*

—N ão sei, Anita, não sou médica, não sou filósofa. Faz de conta que não era. Pronto. — Respondo impaciente quando minha irmã pergunta pela décima vez se eu acho que ele já era gente.

Ela se mexe na cama, funga, fala com voz de menininha queixosa:

— Falar é fácil.

— Eu sei, mana, mas agora não adianta mais, né? Você tirou a criança porque achou que devia, pensou um tempão, falou mil vezes, e decidiu. Agora pára com isso — meu tom não é muito amável. Me arrependo um pouco de ter dito "a criança", porque ela estava há horas tentando se convencer de que com poucas semanas era só um pedacinho de carne, não uma vida. Ela insistia, ceceando por causa da anestesia:

— Mas agora na TV volta e meia eles mostram, filmam os fetinhos na barriga da mãe, poucas semanas e já são uma pessoinha. Tapam os olhos com a mão quando o médico bota uma luz forte lá dentro, mas eles nem podem ter olhos a essa altura. Ou têm? Quem se inco-

*o silêncio dos amantes* | 47

moda com luz ou se mexe com barulho é gente, não é? Está vivo...

— Anita, você sabia de tudo isso antes, há séculos a gente sabe disso, dessas filmagens, ecografias especiais, coisas. Você decidiu, achou certo, seu namorado não quer filho ainda. Acaba com isso porque não vai adiantar nada. — Acrescentei com uma dose de maldade sem sentido: — Além do mais, agora está feito.

Levantei da poltrona, fui até a janela, lá longe se viam o rio, os morros, o hospital fica num parque. O quarto é confortável, nem cheiro de hospital tem aqui, tudo limpíssimo, menos a alma de minha irmã, roída dessa culpa. Ela continua murmurando às minhas costas:

— Eu tinha de fazer... ele achou que eu estava me cuidando, mas aí...

Repetia a mesma história mais uma vez. Pensei, vagamente irritada, que coisa, com toda a modernidade, a liberdade, feminismo e o escambau, mulheres e meninotas engravidam sem querer. Seria sem querer? Anita, grávida de poucas semanas, esperou uma das viagens do namorado e tentou um aborto, escondido. Tiraram o bebê mas ela ficou sangrando e teve de me chamar. Então vim ao hospital com ela. Se o namorado ligar devo dizer que ela teve um sangramento besta, fez uma cauterização, coisa banal, hoje ainda no fim do dia a gente vai pra casa. Ele não quer ouvir falar em filho por enquanto. E ela não quer perder o namorado.

Anita ficou quieta. Volto para a poltrona e a meu lado caminha o fantasma de meu tio Antônio, tal como era nos últimos tempos: envelhecido e amalucado, mas com restos do antigo charme. Sinto um impossível odor de cachaça no quarto de hospital. Afasto o pobre espec-

48 | *Iya Luft*

tro e vou andar um pouco no corredor enquanto Anita dorme.

Tio Antônio, meu encantamento adolescente, único irmão homem de minha mãe, que, viúva, contava muito com ele. Barbudo, simpático, vinha seguidamente em casa. Era divorciado e sem filhos. Brincava que nós éramos suas filhas. Mulherengo, dizia minha mãe. Aborteiro, diziam minhas tias. Não importava nada: eu, que mal tinha conhecido meu pai, adorava aquele tio. Beijava minha mão como se eu fosse uma dama, me chamava sua garota.

Saí de casa, casei, separei, e, sem filho, voltei para morar com minha mãe, que envelhecia. Tio Antônio praticamente se mudara para lá. A casa era pequena mas ele se instalou numa espécie de sótão, que minha mãe e ele transformaram num quartinho aconchegante. Tio Antônio não trabalhava mais. Com aquelas mãos trêmulas não podia operar, nem mesmo examinar direito uma mulher, e quem agora confiaria nele? Voltei para meu quarto de solteira, e à noite, quando eu estava lendo, ou estudando, meu tio batia na porta, entrava e dizia:

— Posso, garota? — e desabava na cadeira ao lado da minha cama. Então retomava o assunto que agora era sua obsessão, o mesmo que atormenta Anita: eram gente ou não eram gente?

— Quem, meu tio? — Eu sabia, mas fingia que era novidade.

— Os fetinhos que tirei das barrigas daquelas mulheres, você sabe, eu era o que suas tias chamam de aborteiro.

— Não fala assim, tio.

*o silêncio dos amantes* | 49

— Eu nunca me importei, pra mim eram pedacinhos de carne, às vezes grandes coágulos, não tinham nada de humano. Alguns eram grandinhos, é verdade, mas como minúsculos bonecos. Você já viu algum?

— Não de verdade, mas acho que sim, em livro, em televisão, eu vi.

— Pois é... nunca me importei, sempre achei idiota o romantismo em torno do assunto, mas agora que estou perto da morte, não consigo deixar de pensar neles.

— Tio Antônio, vamos mudar de assunto? Você está bebendo demais, por que não se trata, em vez de falar em morte? Vai cuidar da saúde, que tudo isso passa, vai viajar, você adorava viajar.

Outra noite ele me chamou lá de cima, do seu quarto, queria conversar. Meio entediada, subi. Era o mesmo assunto: os abortos, os fetinhos, eram gente ou não eram. Mas naquela vez acrescentou arregalando os olhos:

— E eles estão voltando, filha.

— Quem está voltando?

— Os bebês que não deixei viver.

Foi tão enfático que me arrepiei. Os olhos dele pareciam ver qualquer coisa atrás de mim. Fiz um esforço para não me virar, mas com o canto do olho será que percebi uma criancinha correndo atrás de mim? Outra noite eu não tinha escutado um choro de bebê ali em cima, mas depois achei que era a televisão? Sacudi a cabeça para espantar o sono e aquela maluquice, ele estava me contagiando.

— Tio, dorme, descansa, e pára de beber, pára com isso, você está se matando.

Ele continuou como se eu não estivesse mais ali, monologava:

— Estão voltando... é, sim... voltam de noite quando me deito... estendem uns tocos de braços, na ponta têm aquelas mãozinhas feito patas de rã... enchem meu quarto, querem se vingar. Ou querem que eu lhes devolva a vida, é isso, é isso...

Cobri meu tio com a manta. Ele estava quase dormindo. Desci outra vez a escada, deprimida. Falar com minha mãe não adiantaria nada, ela fingia não notar, enrolada lá com seus problemas, seus esquecimentos, suas amigas velhas e doentes. Gente demais morrendo, ela dizia. Fiquei lendo mais tempo do que de costume. De tão cansada, num entressono comecei a escutar ruídos estranhos: a folha da palmeira roçava a parede como unhas arranhando, havia ratos na casa e seu barulho era de miúdos passos no sótão. Fui deitar decidida a encontrar uma solução que fosse boa para ele, para todos nós. Mamãe tinha dito que agora o escutava falando sozinho.

— Seu tio está mal, muito mal mesmo — reconheceu finalmente. — Não posso ficar o dia inteiro subindo e descendo a escada para cuidar dele.

— Tem de chamar médico, mãe.

— Mas ele é médico — a lógica de minha mãe era imbatível.

— Médico não cuida de si mesmo, mamãe, e acho que a situação dele é grave. Quem sabe passa uns dias num hospital, faz uma desintoxicação, essas coisas?

Por fim acabei eu chamando um médico amigo dele. Não sei o que falaram, o que decidiram, mas, além de uns remédios que ele não tomava, meu tio continuou em casa, e eu o via cada vez menos. Por fim, cedinho certa manhã, minha mãe foi lhe levar o café, e me chamou aos gritos lá de cima. Enquanto eu ainda estava na

*o silêncio dos amantes* | 51

escada ela gritava, vem ver, vem ver o que aconteceu com ele!

Subi os degraus imaginando o que tinha acontecido, e já me pesava a culpa por não ter atendido melhor aquele tio antes amado. Quando entrei, ele estava na cama, cobertores caídos no chão. Mas o horror não era a morte. O horror era o que tinham feito com ele: o rosto todo arranhado, como se na agonia tivesse querido arrancar a cara do crânio. Os arranhões eram fundos mas finos, muito finos, como de bisturi ou unhas afiadas. Ninguém teria unhas tão finas assim. Abaixada para ver melhor, apesar do sangue percebi na boca, escancarada como num grito, a gengiva afastada dos dentes.

Velaram tio Antônio num caixão fechado. Para todos os efeitos, ele se ferira na agonia da morte. Nem minha mãe nem minhas tias e minha irmã, que o viram assim, jamais comentaram nada. Foi um estranho pacto de silêncio que nunca rompemos.

Minha irmã geme no seu sono agitado. Olho o relógio, logo o médico chega para dar a alta. Vou ter de lhe fazer companhia até o namorado voltar. A vida real, com sua graça e suas trivialidades, e também com seu desatino, me tira do devaneio. Vou até a cama, preciso acordar Anita.

Enquanto me debruço sobre ela, recordo o que vi quando me inclinei sobre meu tio morto: os cortes fundos e fininhos, a gengiva arrancada. Cada vez que penso nele naquele estado, lembro suas mãos, belas mãos de cirurgião, grandes, fortes, com dedos largos e pontas quadradas.

# 6 | *Um copo de lágrimas*

Minha mulher reclama outra vez que dormi mal, muito agitado, e gritei no sono.

— Você chamou sua mãe — ela diz, ainda passando a mão de leve no meu cabelo para me tranqüilizar. — Parece criança. Sempre o mesmo pesadelo?

— Sempre o mesmo. Dorme outra vez — respondo.

— Dorme, está tudo bem.

No pesadelo preciso salvar minha mãe e não a consigo alcançar. Ela corre à minha frente no meio da bruma. No meu desespero, só enxergo seu cabelo ruivo como uma echarpe vermelha ao vento. Sou responsável por ela mas sou pequeno demais, meus passos são curtos, ela precisa de mim e ao mesmo tempo escapa. Antes de voltar a dormir lembro quando eu era criança e ela me entregou a escova pedindo que a penteasse. O cabelo ruivo, liso e lustroso, soltava pequenos estalidos, e minha mãe riu, dizendo "estou toda elétrica hoje, viu?". Aquele instante de felicidade não se repetiria nos nossos anos sombrios. Reaparece, aqui e ali, em algum de meus sonhos que acabam em pesadelo.

Minha mulher acha que devo procurar ajuda. Quem sabe um bom psicólogo. Porque também me

*o silêncio dos amantes* | 53

acha nervoso demais, e inseguro, não acredito em mim mesmo, e, principalmente, não acredito muito no amor dela. "Que dificuldade você tem para ser feliz", ela reclama. Diz que pareço ter nascido órfão. Que preciso superar, tudo aconteceu há tanto tempo.

Mas ela não sabe como era aquele tempo. A gente não fala muito no assunto, nem eu nem meu irmão mais moço. Ninguém sabe muita coisa da nossa infância registrada em raras fotos perdidas nas gavetas, ninguém sabe do copo escondido e da ferida exposta. Nem de minha mãe, a quem meu pai protegia de todos os modos, ajudando a disfarçar quando ela tentava ocultar o copo no vestido, na gaveta, atrás de algum objeto, no quarto, na cozinha, em qualquer lugar da casa. E quando não o conseguia, nos dias ruins podia gritar, jogar o copo nele ou dar um tapa rápido e certeiro em nós, que éramos pequenos. Nos dias bons sorria encabulada, mostrava o copo com aquele sorriso meio infantil, é água, eu estava quase esquecendo de tomar o meu remédio.

Não era água: era a sua perdição e a nossa desgraça. Podiam ter sido todas as lágrimas que chorei quando menino: de medo, de vergonha, de raiva, e de culpa por sentir raiva. De frustrado amor por aquela mãe dominada por algo que eu não entendia, que ninguém explicava, que a roubava de nós. Que a tornava feia, desgrenhada, quase sempre no quarto, cada vez mais horas de robe e chinelos, espalhando um cheiro forte que nada tinha de perfume, que superava todos os seus perfumes. Uma figura instável numa casa instável, sem se dar conta da vida, dos filhos, do marido, de si mesma.

— O que a mamãe tem naquele copo que fica querendo esconder? — indaguei da empregada, que respondeu secamente:

— Água, menino, água. Ela tem uma sede danada. Vai brincar com seu irmão, vai, seja um bom menino, seu pai precisa que você seja um bom menino.

Eu era um bom menino, mas não adiantava. Sempre procurei não dar trabalho, não incomodar. Cuidar de meu irmãozinho. Não causar problema, não entristecer o pai nem irritar a mãe. A empregada lidava conosco nos intervalos de seus trabalhos, e meu pai, sem muito jeito, tentava compensar a falta de estabilidade e carinho.

Certa noite, quando eu tinha uns seis anos e meu irmão era um bebê de colo sentado em seu berço ao lado da minha cama, minha mãe entrou em nosso quarto, bela e composta. Iam a alguma festa. Eu tinha insistido com meu pai para que viessem nos dar boa-noite antes de sair. Tinha essa urgência de vê-la o tempo todo, de conferir se ela estava bem, se estava zangada ou tranqüila. Usava um vestido comprido, cabelo preso no alto da cabeça. Parece uma rainha, pensei. Meu pai vinha logo atrás, sempre ao seu encalço, sempre atento. Dessa vez vinha com ela só perfume, não o outro odor que em geral a acompanhava, e eu ainda não sabia identificar. Naquele instante eu fui feliz. Ela me fitou com seus olhos quase dourados, mas estava distante. Maquilou-se, quem sabe um pouco demais. Inclinou-se para que eu a beijasse. Logo se impacientou:

— Não precisa me lamber. Você já está grandinho. E amanhã não faça barulho, quero dormir até mais tarde.

*o silêncio dos amantes* | 55

Sem mais olhar para nós, saiu, aquele passo de quem tateia o chão para se assegurar de que não haverá tropeços. Meu pai me abraçou rápido, disse "aí, garoto, fica firme", beijou a cabecinha do bebê e se foi apressado atrás dela. Fiquei ali aspirando o perfume dela, querendo fixar aquele instante que nunca esqueci. Talvez tenha sido a primeira vez que conscientemente me permiti sentir um pouco de raiva por aquela mãe.

Eu era um menino nervoso, e meu irmão, uma criança enfermiça. Nos nossos poucos retratos, temos o ar perplexo de todos os órfãos, embora ela ainda estivesse conosco. Um ar de indagação talvez injusta: como é que ela nos abandona assim, *como?* Eu, magro, desajeitado e meio dentuço; meu irmão, um menininho que quase não ria. Tirávamos poucas fotografias. Só famílias alegres querem ficar registradas. Nós, não tínhamos motivo.

Não levávamos a vida normal dos outros meninos, em cujas casas eu era chamado para almoçar ou brincar. Eu nunca convidava amigos para nossa casa, pois minha mãe às vezes dizia coisas sem sentido, dava grandes risadas, voz rouca, fala arrastada. Aparecia de robe meio aberto, arrastando os chinelos. Eu não queria que ninguém a visse assim, mesmo sem o copo, aquele copo das minhas mil lágrimas derramadas em todos aqueles anos. Eventualmente ela me exigia pequenos serviços como achar seu livro, os óculos, um lenço, ficar perto, sair de perto, dizer alguma coisa, não dizer nada. "Você está falando baixo demais, não te escuto. Você está falando alto, que coisa grosseira. Você cheira mal, não tomou banho hoje? Sai daqui, menino, sai daqui, me deixa em paz." Outros dias agarrava-se a nós, meus filhinhos,

56 | *lya luft*

meus lindos filhinhos, mas a gente queria fugir daquela língua enrolada e das repetições bobas, dos castigos injustos e daquele cheiro.

— Tudo vai melhorar — meu pai disse quando um dia fui desabafar com ele. Só me despenteou um pouco, num gesto sem graça, e tentou sorrir. Ela tinha me dado uma bofetada em pleno almoço, porque perguntei "mãe, por que às vezes a senhora fala assim esquisito?" Há muito tempo eu notava e queria saber. Falei também com um pouco de maldade, porque queria ter uma mãe normal, e estava começando a sentir ódio dela algumas vezes. Sua língua parecia mole e grossa, mas a mão foi rápida e dura. Os dedos dela ficariam marcados na minha cara. Para sorte minha era fim de semana e não precisei aparecer assim no colégio.

Nada melhorou, e meu pai não pôde evitar. Bem que ele tentava nos compensar pegando meu irmãozinho no colo, conferindo meus deveres de escola, nos levando para o parque onde nos ensinava nome de insetos, de plantas, e jogava bola com a gente. Mas eu sei que seu pensamento estava com ela. Doía em mim que meu pai fosse um fraco, mais fraco do que ela. Não pôde nos dar o que a gente mais queria: uma mãe como as outras, uma mãe comum, brigando porque meu irmãozinho não queria comer ou porque eu tirava notas ruins, me elogiando ou dizendo "essas calças estão curtas, você cresceu neste verão". Mãe interessada pela saúde do filhinho menor, que o levasse ao médico, que fizesse bolo no meu aniversário, que aparecesse na escola no Dia das Mães, que fosse um pouco feliz. A gente tinha só aquela da qual era melhor ficar longe, sofrendo numa confusão de amor e raiva: por que as coisas tinham de

*o silêncio dos amantes* | 57

ser assim? Mas, com o desespero de uma orfandade, eu também adorava essa mãe. Para não sofrer, quando pequeno imaginava que ela era uma rainha de um país distante, que só condescendera em ter filhos com a condição de que não lhe exigissem demais, não a incomodassem querendo uma vida normal.

Tudo desmoronou quando entendi que não havia água no seu copo. Foi depois de uma cena terrível à mesa, não sei mais por que razão: minha mãe não precisava de razões. Estava muito zangada, embora pouco antes tivesse estado doce e um pouco chorosa: com ela, tudo era imprevisível. Meu pai levantou-se muito sério para a levar para o quarto. Por um momento achei que ele ia começar a chorar. Meu irmãozinho batia no prato com a colher. Em geral as crises piores se resumiam ao quarto de casal, e ao banheiro, de onde se ouviam gritos, e barulho de objetos quebrados. Dessa vez ela se recusou a sair da mesa, gritava, esta é a minha casa, eu sou a dona desta casa!, rosto alterado e feio; disse uma série de palavrões, quis bater em meu pai, e na empregada que veio ajudar.

Finalmente a levaram, aos gritos e tropeções. Fugi para o quarto quase arrastando meu irmãozinho que chorava, daquela vez levei muito tempo para o acalmar. Mais tarde esgueirei-me até o quarto dela; queria ver se estava bem. Podia ser louca, podia ser doente, podia até ser malvada, mas era minha mãe. E eu de alguma forma me sentia responsável. Bati; ninguém respondeu; entrei, joelhos tremendo.

Provavelmente naquele tempo meu pai já não dormia ali: não havia sinal dele. Aspirei fundo algo inquietante e estranho, desagradável, que não identifiquei logo. Minha mãe, de bruços na cama, robe entreaberto, roncava alto. Cheguei perto, vi as manchas na colcha, na roupa: o cheiro acre era do seu vômito, misturado ao cheiro de sempre, o cheiro da bebida que, mal disfarçado pelos perfumes, a acompanhava. Eu ia sair correndo quando a empregada entrou com balde e panos, e começou a limpar tudo, falando alto e com raiva:

— Bêbada de novo, essa sua mãe. Coitado do patrão. E coitadinho de você e seu irmão, coitadinhos de vocês todos.

Então num relance compreendi muita coisa, e passei a buscar explicações para outras que nunca cheguei a entender. Talvez não haja explicações. Ela só pensa em beber?, eu me perguntava com raiva crescente. E nós, não valemos nada? Mais tarde eu saberia que ela estava muito doente, mas a dor de todos aqueles anos não diminuiu. Já entrando na adolescência, quando tudo piorou ainda mais, depois de uma cena dolorosa gritei para meu pai:

— Eu só queria que finalmente a gente tivesse uma vida normal!

E ele respondeu com a amargura que nos últimos tempos o marcava:

— O que é normal, meu filho? Me diga, me diga!

Seu olhar era tão triste que nunca mais me queixei. Porém continuei obcecadamente desejando que ela se curasse. Que saísse do quarto e se vestisse direito, que nos olhasse com um pouco mais de alegria, que para ela fôssemos mais importantes do que seu vício. Às vezes ela se ausentava de casa. Meu pai dizia, está num spa, precisa descansar. Eu ficava aliviado porque haveria paz na casa, e aflito por saber que ela estava tentando, mas nada

*o silêncio dos amantes*  |  59

mudaria. Mais de uma vez, contrariando os médicos, ele a tirou de lá antes do tempo: ficava com pena, ou ela tinha sobre ele um poder maior do que qualquer sensatez. Um dia voltou parecendo incrivelmente frágil, e havia algum tipo de regime que precisava seguir, nada de bebida, nem uma gota, escutei meu pai falar na cozinha. Nem no molho da carne pode ter uma gota de vinho. Mas naquela mesma noite, antes do jantar, os dois brindaram com champanha, na cumplicidade funesta que os destruiu. Nada foi mais poderoso na vida dela do que aquela sede fatal. Nem beleza e juventude, nem amor, nem filhos precisados dela, nem todo o frenético cuidado de meu pai, que piorava tudo por ser tão condescendente. Muitas vezes desejei que tudo acabasse, que a gente pudesse ter outra vida, que, se ela não ficasse boa, então fosse embora.

E ela foi. Na noite em que minha mãe foi embora definitivamente, acordei com correria, vozes, exclamações, alguém chorava alto, repetindo:

— Meu Deus, meu Deus! — Era meu pai numa voz estranha: — Tira esse menino daqui, tira esse menino daqui!

Levantei e fui pelo corredor até o quarto dela, de onde vinha aquele alvoroço. A empregada saiu de lá correndo com meu irmão nos braços, nem me olhou. Pela porta aberta vi minha mãe deitada na cama, imóvel. Logo entendi que não estava dormindo. Meu pai sentado junto dela segurava sua mão e a beijava, chorando alto. Fui chegando perto e ele não me impediu. Acho que nem me notou.

O coração dela tinha parado. Simples assim. Não agüentou mais. Meu pai ainda lia na sala, quando meu

60 | *lya luft*

irmão, acordando na cama ao lado da minha, saiu sem que eu percebesse, e foi em busca da mãe. Devia ter subido na cama, e numa rara exceção a mãe não se retraiu, não reclamou, não o mandou embora. Quando meu pai entrou no quarto, ele dormia aconchegado na morta, cujo rosto, devastado pela bebida e pela angústia, estava singularmente bonito, como eu quase nem lembrava mais.

Foi assim que minha mãe saiu de nossa vida, para se perpetuar como um conflito insolúvel em todos nós. E não fez isso da maneira mais comum, por um acidente, uma doença. Não caiu da escada, não bateu o carro dirigindo embriagada, não deu um tiro no peito, não bebeu veneno. Morreu porque seu coração falhou. Sem ânimo ou razão para ficar conosco, morreu dormindo, e ninguém sabia que estava tão doente. Nem quando adultos comentamos o detalhe trágico do menino adormecido junto do cadáver da mãe. Nem nós nem meu pai, que cedo ficou velho e alquebrado, e nunca mais se casou. Nunca nos interrogamos sobre aquele impulso de nossa mãe, mais forte do que a vida. Não tínhamos palavras nem coragem. Não havia frase que a contivesse, texto que explicasse o seu mal. Prisioneira num cárcere de que nenhum amor ou cuidado tinham a chave, morreu levando o seu segredo — se havia algum.

Meu irmão e eu crescemos, construímos nossas vidas, cumprimos nossas tarefas, cuidamos de nossas mulheres e filhos. Somos preocupados demais, rígidos demais. Muito responsáveis. E nunca nos libertamos de nossa mãe. Quando nos reunimos como qualquer família, em aniversários e natais, ela está conosco embora a gente não comente isso: na sombra nos olha calada,

*o silêncio dos amantes* | 61

com aquele ar de quem pede desculpas; de quem pede ajuda; ou com a mão levantada para a bofetada injusta.

Eu acho que falhei com ela; não fui suficientemente bom e atento. Embora sendo tímido e nervoso, quem sabe eu poderia tê-la ajudado a se curar, a gostar de si, a olhar para nós. Fui um bom menino, mas não adiantou. Talvez se eu tivesse sentido menos raiva dela, desejado menos vezes que tudo acabasse, que ela desaparecesse e a gente tivesse paz em casa, ela não tivesse morrido tão cedo. Sei que fiz o que pude, todo mundo fez o que pôde. Mas não foi o bastante.

Deve ser por isso que tenho esse sonho mau: quero em vão salvar minha mãe, que corre à minha frente numa espécie de nevoeiro. Por fim só enxergo a sua cabeleira ruiva, lembrança de um raro momento feliz de um menino penteando sua jovem mãe antes de tudo virar insegurança, mágoa e raiva, e sombra. Mas eu não a alcanço, por mais que me esforce. Quero ajudar e não posso. Ela corre depressa demais, e eu não sou bom o suficiente.

Ou não amo minha mãe o bastante para a salvar.

# 7 | *O jardim das visões*

Sentam-se no seu lugar preferido: o peitoril da minha janela que dá para o jardim da frente. Também gostam de ficar na beiradinha da prateleira com meus livros de história, onde minha cama está embutida. Balançam as perninhas no ar, falam alto e riem com suas vozes finas. Ainda bem que minha mãe não está por perto.

Deixo-os ali e vou ao jardim dos fundos, onde a propriedade se estende como um parque. É o lugar onde mais gostam de ficar, e foi onde os encontrei a primeira vez. Nesse jardim eu vejo muita coisa que ninguém adivinha, e se eu contasse não iam acreditar, nem os adultos, nem meus amigos da escola. Então fico calado. Faz parte de minha outra vida.

O jardineiro mora numa casinhola bem nos fundos, no pomar. A casa de minha avó é junto da calçada, na rua que desce, pois a nossa casa fica numa esquina. Outro dia dormi lá, porque meu avô morreu há poucas semanas, e quando minha avó fica muito triste pede que eu durma na casa dela, onde se chega por uma trilha de lajes atravessando o jardim.

*o silêncio dos amantes* | 63

Preciso pensar melhor no que aconteceu naquela noite. Dormi na sala, num sofá que serve de cama de hóspedes, e embora fosse inverno minha avó botou o mosquiteiro. Achei meio esquisito, mas nesses dias ela anda confusa. Deve ser bem triste, ficar viúva. Dormi mal, e acordei de madrugada com aquele rosto redondo, olhos azuis bem arregalados e cabelo espetado no crânio, encostado no mosquiteiro, me espiando. Pisquei os olhos pensando que fosse sonho, mas estava ali, bem visível na claridade que vinha da luz do corredor.

Chamei, Vovó?, mas não era ela. Estiquei o braço e me levantei um pouco para alcançar o mosquiteiro: aquela cara redonda e bonachona ainda me olhava, curiosa. Quando fui encostar a mão nela, a cara desapareceu. Abri o mosquiteiro, e ainda achando que podia ser minha avó, fui até o quarto dela. Mas ela dormia profundamente, e roncava.

Aí, sim, fiquei muito assustado. Voltei para meu sofá na sala repetindo para mim mesmo que tinha sido sonho, sonho, sonho. Mas não consegui mais dormir. Fiquei acordado até o dia clarear e vovó começar a fazer na cozinha o seu café cheiroso. Quando estávamos os dois sentados tomando café, o meu com bastante leite porque criança não tomava café preto embora eu adorasse, contei a ela o que tinha visto. Ela não riu logo, não disse logo que era bobagem de criança, ou que era sonho. Tomou um gole de café bem grande, largou a xícara, pigarreou, depois sorriu e disse em alemão: "Träume sind Schäume". Eu sabia que era "sonhos são espumas". Em seguida me mandou brincar lá fora, estava um dia tão bonito.

64  *lya luft*

Mas no almoço em nossa casa, uma de minhas tias, que tinha vindo visitar a mãe e ficou para comer com a gente, escutou aquela minha história: ficou muito mais interessada que minha avó, que comia calada. E exclamou, antes mesmo que meu pai pudesse encerrar o assunto com um gesto, dizendo que parasse com aquela maluquice:

— Nossa Senhora, era o Valter! Era o Valter, sim, ele era exatamente assim, cara redonda, olhos azuis esbugalhados. E sempre meio descabelado, cabelo todo em pé.

— Quem era o Valter? — perguntei metendo-me na conversa e fingindo não ver a cara amarrada de meu pai.

— Ué, o antigo dono da casa da mamãe, aquele que se matou, se enforcou ali mesmo, na varanda dos fundos. Você não pode ter esquecido! — disse voltada para o irmão. — Você comprou a casa dos herdeiros dele, para nossos pais morarem! Mãe, você lembra, não lembra?

Vovó continuou comendo, de cabeça baixa, parecia surda. Meu pai balançou a cabeça, contrariado, resmungando, mas que bobagem! Você só vai assustar o menino!

Minha tia porém prosseguiu, entusiasmada por ter em mim um ouvinte tão interessado, eu escutava boquiaberto:

— Seu filho já está bem grandinho, e essas coisas acontecem mesmo, ora. — E virou-se de novo para mim: — O Valter era um velhinho esquisito mas muito boa gente. A mulher dele morreu de alguma doença medonha, acho que foi lepra, num asilo longe daqui. O velho foi entristecendo, viveu ali alguns anos sozinho, e um dia se enforcou. Foi o jardineiro de vocês que o encontrou, você lembra?

*o silêncio dos amantes* | 65

Olhava de novo para meu pai, que teve de concordar sacudindo a cabeça, sem dizer nada. Minha tia continuou, agora falando para minha mãe, que acabara de sentar à mesa, ela era sempre a última, sempre ocupada cuidando de minhas irmãs pequenas, das coisas todas. Mamãe não entendeu direito, e minha tia repetiu tudo. Minha mãe me olhou, preocupada, com um ar de quem diz, tudo bobagem, não leve a sério. Olhou de relance para minha avó, mas esta ainda parecia ausente. Minha tia continuava, cada vez mais entusiasmada:

— Pois é, o Valter se matou, enforcado, coitado. Claro que era ele junto da sua cama, queria ver quem estava na sala da casa dele, e não tenha medo, não, ele era boa pessoa, um velhinho que nunca fez mal a ninguém. Devia estar só curioso. Não pode ter sido o papai, ele tinha rosto comprido e cabelo todo branco...

A essa altura meu pai achou que era demais, e ordenou com um gesto incisivo e com a cabeça sinalizando para que a irmã tivesse cuidado com a mãe deles:

— Agora chega, mana. Vamos mudar de assunto.

Depois do almoço desci até o jardim e fui procurar o jardineiro, que estava conosco há muitos anos. Estava lidando com alguma coisa no pomar, e confirmou a história, meio surpreso de eu estar tão informado. Os adultos sempre achavam que criança era ignorante, não sabia de nada, e devia ficar assim. Não gostei de pensar que era a cara redonda e bonachona do velho Valter que tinha me espiado com ar curioso.

Não querendo ficar sozinho, voltei para meu quarto, botei no bolso da calça meus amiguinhos que ainda tagarelavam no peitoril da janela, e os levei para o seu lugar preferido, no gramado atrás da casa. Ali, deitado

66 | lya luft

na grama, deixei que corressem entre os talos de capim, se escondessem atrás das pedrinhas, e tomassem um pouco de sol.

Quando eu estava quase cochilando, algo se mexeu entre as folhagens, e se ergueu no ar com uma espécie de vento, um sopro forte, um redemoinho. Levantei os olhos, e lá ia ele: o velho Valter, roupa parecida com a do nosso jardineiro, calças azuis sujas, com suspensório, camisa meio fora da calça. Subia como um pássaro grande alçando vôo na vertical, em direção do céu infinito. Jamais esquecerei o barro vermelho preso na sola de suas botas, enquanto eu o acompanhava com os olhos. Sabia que era ele, embora não pudesse ver seu rosto. Fiquei surpreso, coração batendo forte na garganta, mas sem medo algum. Ele estava indo embora. Não tinha mais nada a fazer na sua antiga casa. Eu não sabia explicar, nem entendia direito, como não entendia a maior parte das coisas deste mundo. Mas a sensação que tive foi de que estava tudo em ordem.

Peguei meus amiguinhos, todos sentados numa só pedra larga e achatada, olhando para mim com ar cúmplice. Botei-os no bolso da calça, e, chegando no meu quarto, ainda os deixei algum tempo no peitoril. Mas quando minha mãe estava por voltar da casa da vizinha, porque era hora de me botar no banho, avisei:

— Fiquem quietos, ligeirinho, porque se minha mãe chegar e perceber essa bagunça, vai pensar que vocês são invenção minha, vai jogar todos no vaso, e dar a descarga.

Eu sempre os ameaço assim quando ficam inconvenientes. Toda vez eles se assustam e se recolhem ao seu lugar, um lugar secreto que nunca descobri, no meio

*o silêncio dos amantes* | 67

dos meus livros de história, na prateleira. Minha mãe já me ouviu falando com eles, porém são rápidos e se escondem antes de ela entrar no quarto. E quando ela pergunta, eu apenas digo que estava cantando sozinho ou brincando. Certa vez ela até comentou que muitas crianças têm um amigo imaginário, e que isso é legal. Eu disse que sabia, mas não falei mais nada. Se descobrir que não tenho um amigo imaginário, mas uma família inteira, ela pode achar que estou exagerando e ficar preocupada.

Na hora de dormir ainda leio um pouco. Depois minha mãe chega para me dar boa noite e apagar a luz. Faz um carinho na minha cabeça, e diz meio sem jeito:

— Você não deu bola nenhuma para aquelas bobagens da sua tia na hora do almoço, deu? Isso de fantasma não existe.

— Claro que não. Foi tudo um sonho mesmo.

Ela pareceu contente. Me deu mais um beijo, e saiu apagando a luz. Quando estou quase adormecendo, ainda escuto as vozes deles na prateleira, falando, falando, com um ruído de vento no capim. Um dia vou pedir que me contem direito o que buscava o velho enforcado que veio me espiar no meio da noite, em casa da vovó.

# 8 | *No fundo das águas*

Meu pai foi para aquela cidadezinha trabalhar como jovem médico, e ali nasci, ali ficamos muitos anos. Cresci junto do rio, que era meu amigo. Meu berço, minha casa, meu pátio de brincar.

Aprendi a nadar com meu pai quando aprendi a caminhar, e para mim os dois ambientes eram naturais, terra ou água. Já maiorzinha, atravessava para a outra margem com ele, que sabia dar braçadas fortes pois era um grande nadador, mas quando estávamos juntos nadava devagarinho no mesmo compasso que eu. Quando voltávamos para a nossa margem, minha mãe me recebia numa toalha grande, me enrolava, me secava, me beijava, olha só, filhinha, seus dedos estão murchos de tanta água, desse jeito você vai virar peixe, meu peixinho dourado.

Havia uma aura de amor e alegria entre eles, em nossa casa junto do rio. A gente dormia com a voz das águas murmurando feito risadinhas de criança entre as pedras. E isso me dava uma incrível sensação de estar protegida, de que tudo estava certo, como devia ser.

Mas um dia, sem explicação, nada sensato que a gente soubesse ou entendesse — e penso que nem minha mãe jamais entendeu —, meu pai anunciou:

*o silêncio dos amantes* | 69

— Nunca mais vou entrar no rio.

— Como? — o rosto de minha mãe se ergueu do prato, olhos entre assombrados e divertidos, achando que era brincadeira.

— Nunca mais vou entrar no rio — ele repetiu, e vimos que era sério.

Minha mãe depois disse que era coisa de momento, ia passar, mas ele nunca voltou atrás. Fui me acostumando a nadar sozinha. Nunca mais cheguei ao outro lado do rio como fazia com ele. Não tinha tanta graça. Meu pai foi mudando, agora era um homem calado, quase sombrio. Não se ouviam mais suas grandes risadas, seu passo forte começava a se arrastar. Estava alheado, num mundo lá dele. Quando minha mãe botava carinhosamente a mão no seu braço, indagando, o que foi, meu bem? ele sacudia a cabeça e se esquivava:

— Nada, eu já disse, eu não tenho nada.

A gente sabia que não era verdade, mas não adiantava discutir. Ele era o pai, ainda era o chefe da casa, e a gente respeitava. Eu era criança, e não percebi inteiramente o quanto aquilo era esquisito. Só notava a tristeza que minha mãe tentava disfarçar. Depois trocamos a casa na beira do rio por um apartamento na cidade grande, bem longe dali. Lá começamos uma nova vida. Não era ruim, logo me acostumei com a escola maior, muitas amigas, edifício com piscina — onde meu pai nunca entrou. Nem sentava na beira com a gente quando estava quente e era delicioso brincar naquela água azul. Fui me habituando tanto que nem lembrava direito um pai nadando comigo para a outra margem do rio, onde a gente descansava nas pedras entre o capim alto.

70  lya luft

Ele continuava quieto e distante, mas minha mãe conseguia manter a aparência de normalidade, não queria que eu me perturbasse. Seu passo no corredor ainda anunciava movimento e vida, assim como o de meu pai era de alguém que leva um grande peso. Nunca se sabia qual sua reação a nada que a gente falasse, a mais inocente brincadeira, simples notícias da escola, podiam deixá-lo nervoso. Ficava num silêncio pesado, até um olhar sinistro. Por que meu pai me assustava, se era bom e gostava de mim?

Com seu novo horror à água, ele não me deixava passar um fim de semana sequer na praia com alguma amiga e sua família. Eu ia de vez em quando, protegida por minha mãe, que inventava alguma história. Era ruim mentir, mas, ela disse, sua vida não precisa acabar porque a do seu pai acabou. Era evidente que havia algo muito grave com ele. Perguntei, e ela desconversou:

— Não é nada, filha, ele está um pouco nervoso, tem trabalhado demais. Vai passar.

Nunca passou.

Depois eu soube que ele já não estava trabalhando. Perdeu pacientes, um dia escutei minha mãe comentar que ele às vezes saía do consultório deixando as pessoas à espera, ou passando receitas erradas. Dava-se conta disso e se deprimia, fechava-se dias no quarto, no escuro. O zelador o surpreendeu certa noite no pátio do edifício com uma corda na mão, e quando o rapaz o interpelou, disse com um ar de quem nem o tivesse reconhecido:

— Estou vendo o melhor galho para me enforcar.

O zelador o levou até nosso apartamento, meu pai foi direto para o quarto, e quando o rapaz contou para minha mãe, ela disse que era uma brincadeira dele para

*o silêncio dos amantes* | 71

nos assustar. Mas com meu pai falou muito sério, insistiu, brigou. Ele se recusou freneticamente a consultar um psiquiatra, afinal era médico, o que ela estava pensando?

Na verdade, desde aqueles dias em que alguma coisa o assustou e ele nunca mais entrou no rio — e até nos mudamos de lá para a cidade grande —, meu pai estava nos deixando. Foi enveredando por um labirinto de sua mente atormentada, ninguém sabia por que motivos: foi-se, longe, mais longe, e enlouqueceu. Nem os cuidados e o carinho de minha mãe, nem meu devotado amor, ajudaram em nada. Seus fantasmas eram mais fortes do que nós com nossa realidade banal.

Entrou num estado de quase inércia, nem comia nem falava direito. Um amigo psiquiatra o veio visitar, ficaram muito tempo fechados no quarto. Dali meu pai foi direto com ele para uma clínica onde ficou algumas semanas, minha mãe definhando em casa, de amor, medo e dor. Tentando manter nossa vida num ritmo habitual. Eu ia à escola, chorava de noite no escuro, e ouvia minha mãe chorar também na cama vazia no quarto dela.

Meu pai voltou encurvado, as mãos tremiam, parecia sempre sonolento. Teve períodos de melhora, em outros afundava na água turva de sua alma. Era difícil conversar com ele, pois ou não respondia ou respondia devagar, e olhava como se estivesse emergindo de um longo mergulho, sabe lá em que estranhas correntezas. Um dia, quando ele estava bem, e até tinha dado risada de alguma bobagem que eu disse, fiquei animada, e, desobedecendo à ordem estrita de minha mãe para

72 | lya luft

nunca mais falar nisso, perguntei num impulso feito a criança que já não era:

— Pai, por que você nunca mais quis entrar no rio, nem gosta de piscina, nem de nenhuma água que não seja o chuveiro, você que nadava tão bem e gostava tanto? — falei num hausto, falei demais, e logo vi que a reação seria ruim.

Ele se encolheu como se eu tivesse lhe batido. Respirou fundo, pensou, depois disse, olhando-me nos olhos como se eu fosse sua mãe:

— Porque estão me chamando lá no fundo, e eu ainda não quero ir.

Levantou-se e foi para o quarto arrastando os pés. Nunca mais falou nisso. E eu quase morri de arrependimento: ele realmente estava bem longe de nós. Mas fui me acostumando, e a vida entrou numa rotina. Dias piores, dias melhores, escola, amizades, adolescência. Um dia, no verão, houve um piquenique no sítio de uns amigos, e meu pai decidiu ir conosco. Lembro que saltei de alegria feito menininha, paizinho, que bom, paizinho, que bom! Com você tudo tem muito mais graça!

Ele riu, me abraçou, tudo estava como devia estar.

No sítio havia um rio, riozinho, mas comentaram que tinha no meio uma corrente perigosa. Pensei que meu pai nem chegaria perto, mas chegou. Sentou com a gente, comeu e bebeu com todo mundo, falou mais do que de costume. Falava até demais. Eu olhava e via de novo meu pai amigo, meu pai presente, como um pai devia ser.

Algumas pessoas decidiram nadar. Eu nem me mexi. Não iria de jeito nenhum, pois ele não deixaria. Inesperadamente, embora de bermuda e não calção de

*o silêncio dos amantes* | 73

banho, pois não tinha um há muitos anos, ele se levantou, e disse muito animado, vou dar umas braçadas, vamos ver se ainda sei! — e correu até o rio.

Minha mãe estendeu a mão como se o quisesse segurar, eu dei uma exclamação que não sei se era alegria pelo pai recuperado ou medo pelo horror possível, mas meu pai se foi. Deu algumas braçadas no rio, vigoroso como antigamente. Minha mãe agora olhava extasiada, com o sorriso de antes, o homem que ela amava tinha voltado. Eu por um momento esqueci medo, loucura, ameaças sem sentido no fundo das águas, e aplaudia batendo palmas: a vida tinha recomeçado.

Então, bem no meio, de repente ele afundou.

Eu não estava nada distraída. Olhava direto para ele, que desapareceu e não voltou. Afundou como um homem de pedra. Como um boneco puxado para baixo pela mão de um gigante curioso. Primeiro achei que era brincadeira. Ele era bom mergulhador, e antigamente gostava de nos assustar ficando embaixo d'água um tempo maior do que todas as outras pessoas. Mas logo vi que algo estava muito errado. Minha mãe gritava o nome dele, gritou e chamou muitas vezes, e corria pela margem do rio. Ela não nadava bem, mas mesmo assim foi entrando, a saia inflando na flor das águas.

Agora todo mundo corria de um lado para outro chamando o nome dele, alguém já tinha saltado na correnteza, outros mergulharam logo depois, todos à sua procura. Depois de tanto tempo, eu sabia, não ia adiantar mais. Minha mãe foi tirada da água com a saia molhada grudando no corpo, torcendo as mãos e chorando alto. Eu tinha entrado no rio junto com uns rapa-

74 | *Iya Luft*

zes, mas um deles me pegou e me levou de volta. Fiquei na margem agarrada em minha mãe, as duas chorando alto.

Mergulharam várias vezes, e nada.

— A correnteza ali é forte, e o rio muito fundo — alguém disse. Minha mãe e eu por fim paramos de chamar, os outros nos rodeavam e falavam muitas coisas, estava chegando um carro de bombeiros, e mergulhadores, ninguém ia desistir. Depois quiseram nos levar dali, prometendo que iam ficar procurando até ele ser encontrado. Minha mãe, que estava gelada e tremia muito, não quis se afastar. A mim finalmente levaram para dentro de um dos carros, me fizeram beber café quente, e tentavam me consolar. Mas minha mãe estava ainda parada na margem, a roupa molhada. Finalmente, talvez sentindo-se fraca, sentou na areia grossa e ficou ali, algumas pessoas sempre com ela. Mas não queria ser consolada, nem amparada, nem tocada, só olhava o rio até quando já anoitecia. Queria o seu homem de volta. Quando ficou bem escuro, alguém a convenceu de que eu precisava dela. Então veio e entrou no carro, e nos agarramos uma na outra como se também estivéssemos afundando.

Meu pai foi achado no dia seguinte, bem abaixo no rio, preso nuns galhos na margem, rosto à flor da água, olhos muito abertos. Coração, disseram mais tarde, ataque fulminante. Outro comentou: Não devia ter-se jogado na água logo depois de comer, e disseram todas as coisas normais que se dizem das pessoas normais nessas circunstâncias. Principalmente, disseram que era mesmo uma fatalidade, acontecer algo assim com um tão bom nadador.

*o silêncio dos amantes* | 75

Minha mãe e eu sabíamos que não era isso. Sabíamos que algo, alguma coisa, a mesma que chamava por ele no rio da cidadezinha distante, havia rastejado por todas as águas subterrâneas, finalmente o encontrando no fundo daquele rio. E ali o tinha puxado pelas pernas, e sugado sua vida, devolvendo-o depois numa outra margem.

Durante o velório, nós duas de mãos dadas, minha mãe sentada e eu em pé ao lado dela, num diálogo intenso e mudo de espanto e dor, alguém comentou logo atrás de nós:

— Bom, ao menos ele morreu nadando como gostava.

Depois o enterramos e fomos para casa, e ficamos minha mãe e eu sozinhas, e a vida continuava. Eu me casei, tive filhos, e nunca, nunca mesmo, os deixo chegar perto de um rio. Meu marido se queixa, mas que maluquice, mulher! Meus filhos tentam me convencer de que seu avô morreu afogado, mas que isso não quer dizer que toda a família vai morrer do mesmo jeito. Eu finjo que não sei que eles vão nadar com amigos, em rio ou piscina, nem posso impedir que o pai os deixe ir com outras pessoas para a praia no verão. Aí disfarço, me faço de tonta, digo que sou neurótica sim, e acabamos rindo.

Mas eu não chego perto de água que não seja água domada, dentro da minha casa. Pois aquilo que assombrou minha infância, que me roubou meu pai, deixou minha mãe para sempre triste e desconsertou meu mundo, aquilo, eu sei, continua lá.

Voz que nunca desiste, na mais negra das águas da mais longa das noites.

76 | *lya luft*

# 9 | *O fruto do meu ventre*

Vou dizer o que meu pai me ensinou: É só um pesadelo, é só um pesadelo, vou acordar agora mesmo, e sair dessa situação. Pois nada de realmente mau pode acontecer a quem cumpre as tarefas e faz tudo direitinho.

Minha vida não foi nem fácil nem difícil. Fui a feiosa das irmãs, a burra da sala de aula, a atrapalhada, a que nunca teve corpo de mulher, sempre meio menina meio rapaz, seio quase nada, bunda quase nada, e até um pouco de buço para tristeza de minha mãe, "as outras filhas tão lindas, e essa aí nem se parece com elas...", dizia mesmo na minha frente.

Mas não fui infeliz. Eu era boa em muitas coisas, e todo mundo gostava de mim. Acho que nasci para ajudar os outros, e nisso caprichei. Sempre fui útil e atenciosa. Cuidei de todos os sobrinhos pequenos, fiz dezenas de enxovais de bebê para eles e para filhos de amigas, cuidei dos parentes velhos e dos amigos doentes, fiquei com meus pais nesta casa até os dois morrerem na paz de Deus.

Nunca namorei de verdade. Alguém já me disse que não conheci a paixão, e que é uma pena... mas eu acho ótimo assim. Que tranqüilidade. Paixão, pra quê? Vi gente se matando por causa disso, perdendo tempo, saúde, vida. Fora as coisas vergonhosas, em que não quero nem pensar. Peguei uma vez nos peitinhos de uma prima quando éramos adolescentes, ela quis mostrar e eu achei lindos aqueles biquinhos saltados. Senti uma tontura esquisita, tive vontade de beijar ali, mas ela não quis. Outra vez um primo encostou a coisa dele em mim, e mesmo pela roupa senti que estava enorme. Mas não gostei. Fiquei com medo e nojo. Ninguém quis me namorar e eu não teria jeito. Ninguém ia entrar em mim, mexer em mim. Parir, Deus me livre. Assim me senti sempre bem contente da vida.

Às vezes uma das irmãs ou primas perguntava se eu não tinha vontade de namorar, casar, ter minha família, minha casa, e eu respondia, sinceramente, que não, nada disso. Agora, tenho tido esses pesadelos e nem sempre consigo fazer com que acabem com o truque que meu pai me ensinou. Às vezes funcionava, e me vinguei dos fantasmas, como na minha infância, saltando em pé sobre a cama, armando as caretas mais horríveis de que era capaz, xingando e ameaçando. As caras sinistras desapareciam, os olhos vigilantes se fechavam, as mãos se recolhiam embaixo da cama, e todas as assombrações iam embora farfalhando seus vestidos. Eu me deitava outra vez, e dormia como quando era pequena, até escutar vozes e passos na casa, sentir o aroma do café, e ter certeza de que tudo estava no seu lugar.

Quando morreu minha mãe, maior golpe de minha vida, me habituei a dormir de veneziana aberta: pois virar-me na cama mil vezes, naquela dor e solidão, enxergar lá fora as luzes das casas, e as cores do céu quando amanhecia, me dava um conforto que nenhuma presença humana podia me dar. Mas hoje, nesta noite solitária em minha solitária casa, onde teimei em ficar depois que todos foram embora ou morreram, vivo o pesadelo maior. Ou será realidade?

Ultimamente, minha vida tranqüila e correta mudou como eu nunca imaginei. Foi como quando um verme grande, escuro e gosmento, apareceu no ralo da pia enquanto eu lavava louça, e gritei horrorizada. Pois nesses dias, sempre que olhei no espelho do banheiro, meu corpo estava um pouco mudado: os peitos, pequenos e murchos, estavam mais levantados, a barriga maior. Achei que era doença, tumor, vi casos assim, mortes dolorosas. Mas de repente uma coisa começou a se mexer dentro de mim, e tive certeza: eu estava grávida. De quem, quando, como? Nunca homem algum me tocou, entrou em mim, nada poderia ter causado aquilo. Em poucos dias minha barriga estava igual a qualquer outra em plena gravidez. Eu não saía de casa, não recebia ninguém, dizia que estava com uma gripe muito forte, precisava descansar.

Mas esta noite sinto que está vindo isso que se instalou em mim sem eu saber: a minha hora chegou. Sem entendimento nem explicação, estou por parir. Peguei muitas toalhas, deixei o telefone fora do gancho, e me deitei na velha cama que range a qualquer movimento: pernas erguidas e abertas, nua como quando nasci e nunca fiquei a não ser na hora do banho rápido todas as manhãs, estou à espera. É o único jeito que encontrei de liquidar com meu espectro. No começo nada aconteceu. A criatura parou de se mexer, quem sabe morreu e vai sair, como um bebê morto e já decomposto que uma

*o silêncio dos amantes* | 79

de minhas irmãs perdeu, eu assisti a tudo, ainda menina, na casa dela.

Agora a coisa se move outra vez. Impulsiona o corpo para fora, quer sair. A dor é pavorosa, e eu grito, sozinha na casa posso gritar feito um animal esquartejado em vida. Sozinha, sem companhia e sem ajuda, eu grito e minha voz reboa pela casa grande, velha e vazia como num despenhadeiro ou num deserto.

Aos poucos ele vem. Eu me contraio toda, faço força como sei que se deve fazer nessa hora, e berro, e choro e me desespero, meus dentes batem e rangem de pura agonia. Quero fechar as pernas e voltar no tempo, e apagar esse horror, mas não consigo. Esse horror é concreto, não vai se assustar com meu pensamento nem fugir com minhas caretas. Só quando o medonho parto tiver terminado, vou poder matar a criatura, espantar o mal que me ataca, e acordar, e estar para sempre livre de volta à minha vida.

Ele forceja para sair, parece arrancar pedaços de mim. Abro mais as pernas, às vezes as encolho, vejo meus próprios pés no ar, pés desesperados que se agitam como mãos aflitas. Sinto escorrer de mim água, sangue, visgo e pavor sobre as toalhas com que forrei a cama. Finalmente, num último esforço, ele sai, o filho das trevas e do inferno. Que inenarrável alívio. Respiro fundo, muitas vezes, estou livre disso que agora jaz sobre a cama entre minhas pernas estendidas.

Depois de alguns momentos de descanso, controlando a respiração e enxugando o rosto, levanto um pouco a cabeça, porque estou curiosa: não escuto choro nem rumor algum, nem sinto mais qualquer movimento. Na penumbra das minhas lágrimas vejo uma forma clara, longa e arredondada. Com esforço estico as mãos, agora batendo os dentes de nojo, e sinto sua pele um pouco enrugada. É mole, é consistente, ele existe, esse filho de todos os meus pavores está aí.

Quando deito de novo no travesseiro, a cabeça zonza e o cabelo molhado de suor, sinto que ele se move. Vem para mais perto de mim. Sobe pelo meu corpo. Devagarinho rasteja subindo entre minhas pernas esticadas mas abertas, e não tenho mais coragem de olhar. Mas com a mesma fúria de pavor extremo com que assustava meus demônios de menina, resolvo abrir os olhos. Ele realmente rasteja pelo meu corpo acima, arrasta-se, informe, sobre minha barriga. Depois pára e, erguendo a ponta onde deve ficar o rosto, abre na pele esbranquiçada, úmida dos meus líquidos, um par de olhos pretos e redondos que me fitam.

Eis o fruto do meu ventre. Criatura noturna, do fundo de um poço de águas podres, ele me olha. O que quer de mim?

Agora é hora do grande grito, de agarrar com as duas mãos essa coisa nojenta e a rasgar ao meio e jogar os pedaços longe, e acordar, e voltar à minha vida de mulher simples, casta, discreta, que atende sua família, cuida de sua casa, cumpre seus deveres, e nunca, nunca, nunca se maculou. Quem sempre fez tudo direito, como eu, não merece desgraça nem horror.

Mas quando vou fazer isso, ele abre abaixo dos olhos uma boquinha também negra, sem dentes, que se abre e fecha como se tivesse sede, ou fome. Então compreendo: o filho do meu pesadelo quer me devorar. Vai começar pelo rosto, arrancando minha carne dos ossos da face, esvaziando meus olhos, sugando minha língua, e

*o silêncio dos amantes* | 81

por fim me engolindo toda, para que eu para sempre desapareça no inferno das suas entranhas.

Então eu, berro, urro, para que ele se assuste e desapareça em poeira de carne e pele e gosma, como aqueles fantasmas. E eu possa acordar e me ver vestida com minha camisola modesta e recatada, debaixo das cobertas gastas, em minha velha cama, minha velha casa, meu velho corpo, a simples e sólida realidade onde me sinto bem.

Pois, como me ensinaram desde pequena, se a gente faz tudo certo e cumpre as tarefas todas, nada de verdadeiramente mau pode nos acontecer. O bem sempre vence, o céu é mais poderoso do que os infernos.

Deus é bom.

# 10 | O *internato*

A primeira lembrança que tenho de meu pai é o choro de minha mãe.

Sou ainda bem pequeno. Ela me pega no colo, me aperta contra si e soluça. O cheiro dela, mistura de jasmim — seu perfume doce e barato — e bolo de laranja, passa de seus cabelos para minhas narinas. O conforto desse abraço contrasta com o tormento dela, que eu ainda não entendo bem. E com o meu medo.

Muitas vezes eu a veria chorar por causa da brutalidade dele. Nunca entendi por que ficava naquela casa, com aquele homem, por que permanecia submissa e humilhada, o que de tal maneira a prendia nele e naquela situação. Ele a ridicularizava na nossa frente ou na frente de conhecidos e vizinhos, e nós, eu e minhas duas irmãs mais velhas, fervíamos de raiva. Quando crescemos, quisemos convencer nossa mãe a largar aquele homem brutal, e tentar a vida longe. A gente lhe daria força, a gente ia com ela. Ela não aceitou. Um sentimento pavoroso e fortíssimo a prendia ali, e foi ficando.

Meu pai era muito religioso. Nunca faltou à missa. Curvava-se para tirar do caminho um inseto a fim de

*o silêncio dos amantes* | 83

não pisar em cima. Mas a minhas irmãs e a mim, surrava de cinto, e em minha mãe dava bofetadas que quase a derrubavam. Era mesquinho, contava cada moeda que ela gastasse a mais, só coisas simples e grosseiras entravam em nossa casa. E versículo da Bíblia, claro, ele sabia aquele troço quase de cor. Não bebia, não roubava, acho que nunca cometeu faltas no seu trabalho, era honesto, era muito organizado. Mas em casa nos tratava como se vivêssemos num covil, aquilo não era um lar: era uma caverna de animais aterrorizados por uma fera.

A mim detestava abertamente, sobretudo porque nas vezes em que assisti a alguma cena violenta entre eles, sempre meu pai gritando, insultando ou levantando a mão para um tapa, tentei interferir. Chamei-o de animal, de monstro, abracei minha mãe para que ele não a atingisse, mas ele parecia se divertir com isso. Tentei me colocar entre os dois, mesmo quando era pequeno e franzino. Quando eu tinha onze anos, depois de uma grande briga, avancei contra ele, e, mal chegando à metade da sua altura, fiz o que podia: mordi a carne de seu peito e não larguei nem enquanto ele me dava tapas e socos. Senti o gosto do seu sangue ruim. Por fim minha mãe conseguiu me arrancar dali, gritando e chorando. Agora a gente não podia mais conviver, ele e eu. Foi decidido que eu iria para um internato de padres, longe dali, aprender a ser um homem decente e um filho respeitoso.

Não houve discussão. Não houve argumento de minha mãe que o convencesse, nem lágrima, nem pedidos de minhas irmãs, mas pai, ele é tão pequeno, tem pouca saúde, não faça uma coisa dessas! Eu nem implorei nem chorei na frente dele, embora me sentisse morrer só de pensar em ser tão cedo separado das pessoas que me amavam, minha mãe e minhas irmãs. Não teria adiantado mesmo. Ele dizia:

— Tenho um inimigo dentro de casa, e é esse rapaz. Não quero ver a cara dele por aqui. Não quero que ele cresça perto de mim. Não tem prato de comida para ele na minha mesa.

Minha mãe não conseguiu fazer meu pai mudar de idéia: preferiu ficar ao lado dele. E talvez essa tenha sido sempre a minha dor maior.

Interrompo minhas lembranças porque ouço movimentos da criatura que se inquieta no quartinho. Enxugo a sua baba com um pano velho, amarro melhor seus pulsos porque se conseguir soltar as mãos ele arranha os próprios braços e a cara até tirar sangue. Tento não aspirar o seu fedor.

Depois volto para lembrar e sentir alegria pelo dia de hoje. Estive naquele internato vários anos, e cresci muito mais forte do que seria em casa. Aprendi a me defender, a ser pior do que os piores, para sobreviver — pois eu ainda era franzino, um pouco gago e muito medroso. Mas transformei o medo em uma raiva que me impele em quase tudo que faço, em geral disfarçada debaixo de uma grossa camada de autocontrole e disciplina. Quando ela se rompe, é melhor ninguém estar por perto. Por isso vivo sozinho, sem filhos, sem mulher, sem namorada e sem amigos mais chegados. Assim me sinto melhor.

Tudo isso aprendi no internato. O que chorei naqueles anos, sobretudo nos primeiros tempos, daria para inundar uma casa inteira e afogar meu pai. O abandono que senti, a rejeição, a crueldade de meu pai e a fraque-

*o silêncio dos amantes* | 85

za de minha mãe, me corroeram como o pior dos venenos. Eu queria, mais que tudo no mundo, voltar para casa. Mas uma casa sem pai. Ter de novo o cheiro bom de minha mãe, os cuidados das minhas irmãs, algum tipo de aconchego. O internato era imenso, o dormitório frio, com chão de ladrilhos, dezenas de camas enfileiradas, tudo ali era impessoal e me parecia ameaçador. Vigilância, suspeita e castigo eram a norma. Lá aprendi a ser limpo, metódico e até obsessivo. Boa parte de meu tempo livre passo arrumando a casa, uma casinha de só quatro peças, mas que mantenho imaculada. Lá no meu ódio e na minha mágoa, eu era forte. Sem mãe nem irmãs, fiquei ainda mais determinado. O preço foi a dor de muitos anos, uma dor de abismo. Assim é a minha vida, e é uma boa vida, segura e organizada.

Quando saí do internato, não voltei para casa. Consegui um emprego e aluguei um quartinho bem longe deles. Trabalhei muito, cumpri meus deveres, consegui aumentos, comprei esta casinha. Eu progredi. Quando queriam me ver, minha mãe e minhas irmãs me visitavam. Admiravam-se de ver tudo tão arrumado e limpo. Sou muito controlado, mantenho a fera dos meus sentimentos reais debaixo do calcanhar da minha força de vontade. Não é fácil conseguir isso o tempo todo. Às vezes ela me escapa. Não me casei porque ninguém se sentia tranqüila a meu lado: eu era desconfiado demais, atrás de cada beijo esperava a mordida. E talvez aquelas mulheres tivessem medo do que, no fundo de mim, esperava a hora de sair.

Às vezes sou convidado para almoços com as famílias de minhas irmãs, que se casaram e tiveram filhos. Gosto de rever minhas irmãs, de observar meus sobrinhos crescendo sem violência nem atormentação, eles têm uma família. Me sinto feliz? Essa é a pergunta que nunca me faço. Eu sobrevivi. Tenho um lugar decente para morar. Tudo aqui é meu. Não tenho verdadeiros amigos, mas meus colegas me tratam bem, fui promovido no trabalho, porque sou assíduo e confiável. Sei que me acham esquisito em algumas coisas, mas não sou um sujeito mau.

Só revi meu pai quando minha mãe morreu, tão magra, tão velha, além dos seus verdadeiros anos, que chorei como chorava no internato. Chorei por ela e por mim. Mas dele nem cheguei perto, nem ele levantou a cara para me ver. Sabendo que ele estava na mesma sala, eu tremia com um pouco do velho medo, e muito do renovado ódio. Depois que minha mãe foi enterrada, nunca mais eu soube dele. Quando me encontrava com minhas irmãs, elas sabiam que o assunto era proibido: meu pai não existia para mim. Elas praticamente também o ignoravam. Suportávamos uma carga enorme de mágoa e raiva.

Até que uma delas me telefonou e disse que o velho estava mal. Alguém as tinha avisado de que vivia na antiga casa feito bicho, vizinhos piedosos às vezes acudiam, ele estava louco de verdade, comia até da lata de lixo. Elas, cheias de filhos e de preocupações, não podiam fazer nada. Sabiam que eu não tinha mais nenhum contato com ele, sabiam do nosso ódio recíproco. Mas já que eu era sozinho, e estava bem de vida, não podia tentar alguma solução?

Primeiro recusei com veemência. Depois tive pena delas, afinal haviam agüentado as maldades dele mais tempo que eu, e eram boas mulheres. Entendi que tinha chegado a minha hora. Há uma semana a criatura está

*o silêncio dos amantes* | 87

na minha casa, presa no quartinho dos fundos. Consegui finalmente um lugar para ela num asilo de velhos. Fui até lá verificar, e é dos piores: encardido e malcheiroso, atendentes com ar feroz e uniformes manchados, os velhos tapados com cobertores fininhos e remendados, comida parecendo ração de cachorro. É lá que a criatura vai ficar. Faço isso com enorme e maligna alegria. Não vou secar sua saliva, limpar seu excremento, dar sua comida na boca pelo resto da minha vida. Não quero seu cheiro, sua respiração, sua presença por perto.

Quero que ele sofra todos os sofrimentos que suportei no internato, onde fui colocado numa idade tão tenra, onde só pude ver minha mãe e minhas irmãs duas vezes ao ano, no Natal e na Páscoa. Onde só não fui abusado porque também sabia ser violento, meu apelido era Louquinho, até os maiores sentiam medo de mim. Espero que ele agora sofra para compensar o que fez com minha mãe, que viveu uma vida miserável, agüentando além de tudo sabe Deus que humilhações na intimidade do quarto.

Olho o relógio. Está chegando a hora. A partir das dez da manhã posso entregar a mercadoria. Então vou até a criatura, desamarro seus pulsos, passo um pano na sua cara, penteio as falripas de cabelo, já o vesti esta manhã cedo e botei fralda limpa. Se se sujar de novo, agora é com as atendentes do asilo. Com uma alegria que cresce a cada instante e quase me deixa eufórico, ajudo a criatura a se levantar da cadeira: ela consegue caminhar desajeitadamente, se eu lhe der o braço. Faço isso com nojo e horror. Então rosno em seu ouvido, com a ferocidade de um cachorro batido que finalmente pode morder:

— Vamos, velho nojento. Hora de ir para o internato.

# 11 | A *presença*

O sobrado de minha avó era o lugar mais mágico de todos os lugares mágicos da minha infância.

Uma velha casa de dois andares e muitas janelas, cheia de surpresas. A escada rangia alta noite como se alguém estivesse subindo devagar por ela, embora minha avó me tranqüilizasse, ali não havia ninguém, meu avô já estava adormecido em seu quarto no fim do corredor. São apenas as velhas madeiras trabalhando. Como, trabalhando, vovó? Ora, a madeira reage ao calor, ao frio, à umidade, e estala. Não entendi muito bem, mas por um tempo me tranqüilizava. Depois eu achava ter ouvido alguém falando no corredor, mas ela também garantia que não era nada, dorme, menina, dorme, deixa de bobagem. O vento chorava nos beirais nas noites de inverno. Restava uma dúvida: embaixo da cama alguém estaria à escuta, como eu?

Já o vestíbulo daquela casa chamava para uma aventura cada vez renovada: a porta altíssima, a campainha que eu mal alcançava na ponta dos pés, quando meu pai me deixava lá de carro, na calçada, e eu me sentia importante podendo fazer o resto sozinha. A porta abria-se com algum dispositivo que minha avó acionava de um dos dois andares. O chão do vestíbulo era de azulejos grandes, lustrosos, em desenhos elaborados, laços e folhas, tudo verde e marrom-claro. Entrar na casa era entrar num paraíso de aromas: bolo e café, poltronas de couro, velhos tapetes, madeira envernizada. Quando ela estava no andar de baixo, depois da conversa, do bolo, dos agrados mútuos, ela me levava ao jardim, seu lugar predileto e motivo de orgulho.

Um jardim muito caprichado, com um pequeno gramado onde se quarava a roupa branca, e uma série de canteiros circulares, bem no meio um laguinho redondo com peixes vermelhos aos quais eu podia dar migalhas de pão, que abocanhavam interrompendo seus volteios pelos labirintos da água. Eu podia passar horas ali observando os peixes, dando-lhes nomes, imaginando quem era o pai, a mãe, os filhinhos, os amigos, os avós.

Entre os canteiros, um estreito caminho de pedra, onde não passavam duas pessoas lado a lado. Eu seguia atrás dela, que mais uma vez ia nomeando as flores, mostrava os botões, comentava os perfumes. Zínias, gérberas, violetas, ervilha-de-cheiro, cravinas. Nas beiradas de canteiro cresciam morangos, que ela me deixava colher quando as frutas vermelhas espiavam entre as folhas escuras. Eu até podia comer sem lavar, o que me parecia um risco delicioso, infringindo os conselhos maternos, nada de comer fruta sem lavar! Minha avó não levava aquelas coisas muito a sério, o que não mata engorda! Era divertida, a minha avó.

Mais de uma vez, olhando para a janela do quarto dela no segundo andar, onde tantas vezes dormi, brinquei, ouvi histórias, eu via aquele rosto de criança espiando curiosa. Sempre que eu comentava, vovó sacudia a cabeça dando uma risadinha:

— Eu já lhe disse, menina, não tem ninguém lá em cima. É uma dobra da cortina, um reflexo de luz, sei lá... não vou saber quem mora na minha casa?

— Mas vovó, eu vi!

— Você está sempre vendo coisas, bem que sua mãe diz que você tem imaginação demais.

E fazia um gesto com a mão, liquidando o assunto. Ela também era determinada.

Com o tempo deixei de perguntar. Havia tantas coisas que os adultos não sabiam, que era melhor ficar quieta, deixando-os pensar que eu acreditava. Os adultos precisam de certezas.

O encanto maior residia naquele segundo andar, um corredor com vários quartos, também o que fora de minha mãe quando menina e mocinha. Lá ainda estava a sua cama de solteira, um armário escuro pesado e um baú. Quando estava de muito bom humor, minha avó abria a tampa para eu me deliciar. Dentro estavam fantasias que minha mãe e suas irmãs tinham usado em remotos bailes de carnaval. Máscaras, tules, lantejoulas, saiotes, roupa de odalisca, de bailarina, de pirata, que eu tentava vestir embora fossem todas grandes demais. Sapatinhos de salto alto em cores bizarras. Toda uma vida fora da vida, para a qual a gente fugia como quem aspira lança-perfume e se atordoa.

Os outros quartos eram menos interessantes. O centro de tudo era aquele quarto de minha avó, dando para o jardim. Na enorme cama eu dormia ao lado dela quando meus pais viajavam, meu avô há muito desterrado para um dos outros aposentos. Desde quando seu tio mais moço nasceu, explicava minha mãe, mas também

*o silêncio dos amantes* | 91

isso eu não entendia, e pela cara dela vi que não haveria maiores explicações.

Quase junto do teto, nas paredes de pé-direito altíssimo, corriam ramagens com rosas e espinhos. Deitada, eu imaginava quem haveria de ter pintado tudo aquilo, que longa escada, que longa paciência, que pontudos espinhos.

Na máquina de costura junto da janela, minha avó costurava vestidos para as filhas e netas, para mim sobretudo, porque dizia que eu era a neta especial, a que mais a visitava, a que mais a divertia. Certamente eu era a que não tinha medo dela, pois percebi desde cedo que quase todo mundo a temia, embora tivesse riso fácil, nada severa para uma avó comum. Mas ali nada era comum.

Eu ficava sentada no chão de tábuas pálidas, brincando com o meu maior tesouro: uma caixa de madeira polida que se abria em gavetinhas sobrepostas, em cada uma muitos botões. Havia os triviais, havia os originais, desde botões de camisa masculina até pérolas, ou pedrinhas vermelhas engastadas em ônix negríssimo, vários tons de madrepérola, carinhas de cachorro que finalmente foram enfeitar um vestido de lã que nunca esqueci. E alfinetes: numa das gavetas, como na almofadinha sobre a máquina de costura, havia dezenas e dezenas de alfinetes com cabecinhas de vidro colorido. Estirada no assoalho imaculado, eu tentava tirar agulhas, paetês e lantejoulas caídos nas frestas entre as tábuas, cintilando como olhinhos maliciosos.

Naquele dia eu estava no chão brincando com a caixa de botões, quando um deles, uma pérola rosada, rolou para debaixo da cama. Eu ia empurrar a caixa de lado, me deitar e espiar à procura do fujão, quando uma mãozinha — mão de criança igual à minha — saiu de baixo da cama segurando entre dois dedos a pérola perdida.

Não me assustei. Não gritei. Não chamei minha avó, que, concentrada no tecido à sua frente, manejava com o pé o pedal que fazia girar a roda reluzente da máquina de costura, e funcionar a agulha frenética. Ou ela não tinha visto nada, ou fingia não ver. Sem temor, peguei dos dedos da outra criança a pérola-botão e a coloquei no seu lugar na caixa. Tive um impulso de comentar com minha avó, que criança é essa debaixo da tua cama?, mas isso iria estragar a brincadeira, e ela provavelmente iria repetir, bobagem, menina, você tem fantasia demais.

Isso aconteceu várias vezes, em vários dias, e não revelei a ninguém. Era segredo meu, de minha avó, e da menininha ali escondida, que nunca vi, nunca falou comigo, nunca saiu do seu esconderijo. Minha nova amiga, que devolvia os botões que eu agora fazia rolar de propósito para o seu escuro reino. Se eu comentasse com alguém, ela teria de aparecer, e se tornaria apenas mais uma criança como tantas, aí tudo perderia a graça. Ou talvez ela até fosse embora. A brincadeira era mesmo aquele jogo de esconder.

Minha avó continuava não olhando para mim quando a pequena mão aparecia da sombra, nem aprovava nem desaprovava, talvez achasse apenas natural. Ela se espantava com muito poucas coisas. Quando aconteciam fatos peculiares e eu mencionava algum, minha avó respondia, com calma, que era minha imaginação. Mas depois de alguns dias decidi que, quando voltasse à casa dela, iria enfrentar a minha inusitada amiga, espiar debaixo da cama, pedir que saísse dali. Ou pressionar, vem olhar comigo, vovó, vamos ver quem é aquela?

Acordei antes do amanhecer com o telefone no corredor tocando, ouvi passos apressados de meu pai,

*o silêncio dos amantes* | 93

depois os de minha mãe, e o choro dela. Fiquei encolhida debaixo da coberta. Meu pai entrou, me pegou nos braços, disse que vovó estava doente e tínhamos de ir até a casa dela. Fiquei deitada no sofá da sala enquanto ele e minha mãe subiam correndo a longa escada em curva.

Minha avó morreu dormindo. Meu avô, ao acordar, foi até o quarto dela e deparou com a velha companheira inerte na cama. Uma morte tranqüila e sem mistérios. Não me deixaram ir ao velório nem ao enterro, na minha família aquilo não era coisa para criança. Criança ficava remoendo medos bem mais assustadores do que um cadáver entre flores num caixão.

Nunca mais entrei no quarto de minha avó. Ficávamos só no andar de baixo, ou no jardim, que sem ela perdera a graça. As famílias de peixinhos acabaram morrendo, as flores se confundiam sem o seu cuidado, o café era fraco, o bolo agora feito por uma tia era sem gosto. Ninguém jamais comentou sobre a menina embaixo da cama, e eu também não disse nada. Talvez ela já tivesse ido embora. O que faria no andar de cima, onde só meu avô vagava com olhar distante, repetindo, mas onde está a minha mulher, onde está?

Anos depois a casa foi vendida, finalmente derrubada. Construíram um edifício sobre velhos sustos e magia. Até hoje lamento não ter falado enquanto era tempo, perguntado à minha avó quem, embaixo da grande cama de casal, esperava que algum de meus botões rolasse até ela, para o devolver com mãozinha de criança que tantas vezes tocou a minha. Sem pedir um agradecimento, sem sair dali para brincar, sem nunca eu avistar seu rosto ou descobrir seu nome, delicada presença, minha amiga imortal.

# 12 | *Uma em duas*

Sonhei que corria por um campo, e que fui atingida por um raio que me partiu em duas. Sem medo nem dor, eu era duas — duas mulheres idênticas corriam em direções opostas. No horizonte elas se encontravam, isso eu sabia porque tudo se pode no sonho: sendo uma, eu era duas.

Quando acordei, em lugar do cotidiano, a torneira do banheiro pingando, a filha que mal parece notar que eu existo, o marido esperando o café, as gaiolas dos canários dele cheirando mal e precisando ser limpas, eu vi sentada na beira da cama o meu pedaço partido no sonho. Lá estava ela, a outra. Nem precisou falar para eu saber seu nome.

Pois eu, eu mesma, me chamo Stessa, e ainda agora, mulher adulta e mãe de família, me aborreço por meus pais terem me dado nome tão esquisito. Todo mundo pergunta se não é engano. Meus professores levantavam os olhos da lista de presenças no primeiro dia de aula, e eu tinha de confirmar, é Stessa mesmo, professora. Minha faxineira até hoje me chama de dona Estércia. Há quem pergunte se o escrivão errou na hora de registrar, era Stella e saiu Stessa. Não. Acontece que eu nasci

*o silêncio dos amantes* | 95

logo depois da morte de minha primeira irmã, que morreu ainda bebê, e a mãe, quando me tomou nos braços pela primeira vez, exclamou:

— É a mesma!

Minha avó, velha imigrante italiana, repetiu isso em seu idioma *"ma è la stessa!"* e ficou sendo meu nome. Talvez por isso eu nunca me sentisse bem sendo eu mesma. Sempre a dúvida: eu não deveria mudar, não podia ser outra? Um pouco menos certinha, isso sim, eu, tão enquadrada e medrosa. Saber dessas minhas dúvidas haveria de magoar meu marido e minha filha, então eles não bastavam, aquela nossa vida, boa apesar de tudo, não me fazia feliz?

Na sala da casa de meus pais havia a reprodução de um quadro despretensioso, com moldura estreita e simples, que minha mãe me deixou trazer quando casei: uma pintura quase infantil, um jardim com duas árvores floridas, no meio um banco onde se sentava uma menina com sua boneca na mão estendida. Ou era uma jovem mulher com uma criança? De cada lado dela havia um gato: o preto sentava-se nas patas traseiras a seu lado direito no banco; o branco estava no capim do lado esquerdo. Sempre imaginei que eu era um daqueles gatos: minha irmãzinha morta seria o branco, e naturalmente eu era o preto. Eu com minhas trapalhadas, meus medos, eu tão mentirosa, não muito inteligente nem muito bondosa. Por que um daqueles bichos não era ruivo? Tudo teria muito mais graça.

Agora, com essa outra mulher saída de mim, não um clone mas o meu avesso, revejo o quadro e entendo que não somos o bebê morto e eu: somos eu e o meu outro eu. Também percebo que eu sou o gato branco: a outra

96 | *lya luft*

vem da escuridão, cheia de maldade, e muito mais divertida. Eu sempre fui meio sonsa. Lerda, dizia meu pai, mas que menina lerda, anda, menina!

Nem meu pai nem minha mãe sabiam dizer de onde viera aquela obra. Estava na família desde sempre, tinha vindo com minha avó da Itália, com os pais dela, no navio. Embora eu fosse uma criatura bastante simples, olhando o quadro pensava que também eu de certa forma era duas, a que todos conheciam e a que eu mesma apenas vislumbrava, oculta ameaça de romper com tudo. E aqueles dois gatos olhando: não para ela, não para a criança-boneca, mas para quem, fora do quadro, observasse.

Depois daquele sonho, cada vez que eu me olhava no espelho, atrás de mim lá estava a outra. Nas vitrines das lojas, na rua, ela andava ao meu lado, um pouco atrás, requebrando sem pudor algum. Fazia careta, dava saltos, soltava gargalhada. Cantava bem alto. Fui me dando conta de que nada era novidade. Eu a conhecia desde criança. Por isso não me espantei com sua aparição. Era a ela que eu via no espelho, quando me perguntava, e se eu agora sorrir e ela continuar séria? e se eu levantar a mão e ela não fizer o mesmo? Espreitando por entre minhas pálpebras, sorrindo ou murmurando nos cantos de minha boca, ela nasceu comigo. Dizendo *não* quando eu obedientemente dizia *sim*. Infringindo quando eu cumpria. E quando a vi separada de mim, apenas disse, ah, então era isso, eu era essa! E não achei nada esquisito aquela mulher vivendo comigo na mesma casa sem ninguém saber.

Tentei me abrir a respeito desse fato, porque guardar um segredo sempre me pareceu traição, embora eu nem

*o silêncio dos amantes* | 97

soubesse a quem estava traindo. Mas eu era assim, sempre culpada, sempre em dúvida e me sentindo em dívida. Nunca houve ocasião, nem tive coragem, nem encontrei as palavras para contar tudo, *olha, agora eu sou duas, tem essa outra aqui em casa...* Nem havia quem se interessasse, muito menos meu marido com seus canários, minha filha com seu olhar crítico, minhas irmãs tão domésticas. Todos iam me chamar de louca.

É bem feliz, a minha outra, a de nome nunca pronunciado. Ninguém lhe cobra nada nem lhe pede coisas, nem mesmo uma xícara de café ou uma camisa bem passada, porque nem adivinham que ela existe. Se a vissem não acreditariam nela. Ela não precisa inventar nada que tenha de caber dentro de uma resposta. Nunca a vão querer enquadrar, e eu me enquadrei sempre, ainda me enquadro o tempo todo. Pois tenho horror da idéia de ser diferente e criticada por isso. A outra não se importa: assume sua diferença, faz tudo o que quer, senta-se de pernas abertas, senta no braço da poltrona, tira o fiapo de carne dos dentes com a unha — mil coisas que eu só consigo fazer em pensamento, pois eu respeito as regras.

— Mãe, você é boba, mãe! Por que nunca faz nada de que gosta de verdade, por que arruma a casa nessa mesmice pavorosa, e ninguém dá valor, e o pai ainda por cima reclama? Vai ao cinema, arruma uma amiga e passeia no shopping, compra uma roupa transada, pensa em si mesma, não só nos outros!

Olhei assombrada, então minha filha se interessava por mim?

A outra dava risadas pendurada na sua liberdade como num balão colorido. Ela sai pela noite e ri sem pudor no vento, enquanto eu medíocre fico de olho aberto no escuro pensando na minha cama. Agora, aos poucos, cada dia mais vezes percebo que ela me seqüestra para fora do trivial, deste considerado obrigatório e normal, e me deixa ser, também eu, Stessa, por alguns momentos, a mulher proibida. Stessa livre da sua mesmice talvez não sobreviva, o que me assusta porque morrer também não quero.

Quando lhe pergunto como vai ser caso eu passe para o lado dela, apenas dá a sua risada e salta pela janela, para a vida. Atrás dela, um gato. Que nem é branco nem é preto: agora vejo que é ruivo. Eu nem um cachorrinho tive coragem de comprar: meu marido arqueou a sobrancelha quando há muitos anos comentei, e minhas irmãs disseram que ter bicho em casa só dá sujeira e trabalho. E os canários dele?

Começo a achar que a outra pode ser minha parte melhor. Ela não precisa mentir. Ela é a sua verdade, e não se interessa nem um pouquinho pelo que as pessoas pensam. Ela está se lixando. Nem pede desculpas a toda hora, nunca dá explicações — porque elas nem existem: as coisas são como são. E eu, apesar do café na hora, da camisa bem passada, do supermercado com muita economia, da comida como eles gostam e dos lençóis limpíssimos, dos meus pés cheios de calos e minhas mãos cheirando a cozinha ou a cocô de passarinho, apesar das minhas insônias e medos, eu estou sempre querendo me explicar. Ou espero alguém que me explique a mim mesma, mas ninguém me enxerga direito.

Estou aprendendo a trocar de lugar com ela. Estou entrando no seu papel, enquanto ela se diverte no meu, executa as minhas tarefas com todas as suas artimanhas:

*o silêncio dos amantes* | 99

o café fraco, a comida requentada, a filha negligenciada, as gaiolas sujas, e a casa que caia aos pedaços. Ela não tem, como eu, culpa por qualquer coisa menos caprichada. Diverte-se feito doida, fazendo tudo malfeito e nem ligando para a cara deles.

Eu, acomodada, agora vejo que posso rir no escuro, dançar em cima do telhado, ficar bêbada de lua, abrir o coração e as pernas, não ter limites nem ser jamais domada. Aprendo a ignorar tudo o que antes me oprimia e entediava. Descubro que a realidade não existe. Se existir, não há de se limitar a camisas suadas, calcinhas sujas, gaiolas malcheirosas.

A cada dia estou mais do outro lado; aprendi o pulo-do-gato. A cada dia aumenta o meu poder de mudar — e a qualquer hora não volto. Deixo a outra aqui enrolada com minha vida, e para sempre fico no seu mundo, onde sou má e relaxada, sou vulgar, pinto as unhas dos pés de vermelho berrante e o cabelo de um louro medonho, dou um tapa na minha filha e cuspo no meu marido, deixo os malditos canários morrerem atolados na sujeira. E saio voando montada no meu gato ruivo, que é da banda das maldades, como eu.

Porque entre o *sim* e o *não* é só um sopro, entre o bom e o mau apenas um pensamento, entre a vida e a morte só um leve sacudir de panos — e a poeira do tempo, com todo o tempo que eu perdi, tudo recobre, tudo apaga, tudo torna tão simples e tão indiferente.

# 13 | *Encontros*

A cordou com dor nas costas. Não era bem dor, mas um desconforto. Nem era no lugar onde às vezes lhe doía, mas abaixo das omoplatas. Pensou, tenho de começar a fazer ginástica, alongamento, só caminhar três vezes por semana não basta.

— Isso é dos nervos. Você tem de arrumar um amante pra trepar — lhe disse a amiga desbocada —, porque com seu marido sei que você nem trepa mais.

— Trepar a gente trepa — ela respondera sorrindo meio sem graça —, mas com parcimônia — e riram as duas, daquela intimidade de colegiais.

Notou que andava mais inquieta e distraída. Os filhos pareciam mais barulhentos, tudo no marido a irritava, até o barulho de sua mastigação e sua mania de pigarrear. O trabalho estava mais cansativo. Seus pensamentos fugiam mais vezes da realidade que, embora monótona, era um conforto. Este é o meu lugar no mundo, pensava, retornando para casa no fim de cada tarde. Esta é a minha tarefa no mundo, pensava, fazendo as compras com a lista do supermercado na mão, o filho menor, já adolescente, empurrando o carrinho, emburrado.

*o silêncio dos amantes* | 101

Num outro dia, saindo do banho e olhando-se no espelho nua, examinou-se de frente, o ventre um pouco flácido, os seios nem de longe os seios gregos que o marido beijava com tanto ardor nos primeiros tempos. O cotidiano convívio havia-lhes roubado o fervor. Avaliou seu corpo também de lado, e viu com pavor que havia duas marcas longas espáduas abaixo, duas listras nascendo logo debaixo dos ombros e descendo até quase a cintura: convexas, saltadas como cicatrizes enormes, dois dedos de largura.

Tentou tocar-se meio sem jeito, difícil de alcançar, mas conseguiu: aquilo era mágico, ao toque de seus dedos começava a palpitar. Pensou: Se for câncer é um câncer muito esquisito, e de tão grande nem adianta falar porque devo estar morrendo mesmo. Mas o rosto estava bom, a pele saudável, a cor razoável, não tinha ar de doente terminal. Decidiu esperar um pouco pra ver no que dava. Sua mãe fazia assim quando eram pequenos: Se daqui a três dias continuar doendo, a gente procura o médico.

— Você anda distraída, hein, mãe — lhe disse o filho mais velho um dia.

O marido não percebia nada. Mas ele não costumava mesmo prestar muita atenção. Insatisfeita com tudo, a mulher resolveu trocar a cor do cabelo, de um castanho comum por um quase-vermelho brilhante. Saiu do salão sentindo-se uma rainha egípcia. Quando o marido entrou no fim do dia, ela o aguardava ansiosa por dividir com ele ao menos aquela novidade e, radiante porque achava aquela transformação uma beleza, perguntou assim que o viu na soleira:

— Notando alguma coisa nova, bem?

Ele parou, sorriu inseguro, olhou em torno, olhou para ela, abriu mais o sorriso e finalmente disse:

— Você trocou o tapete?

Ela não se zangou, lembrando quantas vezes fora impaciente com ele, quantas vezes criticara seus gostos e ironizara suas pequenas manias, quantas vezes fora pouco generosa. Aquela era a vida deles. Aquele era seu lugar no mundo. E não era inteiramente ruim.

Certa vez ela estava pensando em alguma bela coisa erótica, o que há tempos não fazia, sozinha em casa depois do banho, e tocou-se como há muito não se tocava, pensando: Bom, se vou morrer mesmo, ao menos me divirto um pouco antes. Pois os sinais nas costas estavam mais destacados, e o desconforto maior, como um ímpeto que precisasse muito sair dali — então na hora do supremo prazer deu um salto e sentou-se, achou que explodia, e de repente começou a alçar-se acima da cama.

Olhou assustada sobre o ombro esquerdo, e notou que nas suas espáduas se abriam duas asas. Com esforço e um terror inicial, conseguiu aterrissar de novo, quase batera com a cabeça no teto. Andou até o banheiro, com cuidado para não levantar vôo ao menor movimento.

E, quando se contemplou, achou-se belíssima. Achou-se especial. Uma mulher nua com duas asas que logo aprendeu a manejar, abrir, fechar, levantar, dobrar de novo como um leque enorme. E — mais estranho de tudo — não teve medo mas alegria. Era isso: não estava morrendo de um câncer. Era mágico, ela estava virando anjo. E a dimensão desse segredo quase a derrubou.

No começo foi difícil acomodar as asas debaixo da roupa, pois mesmo que dobrassem direitinho faziam um

*o silêncio dos amantes* | 103

certo volume. Começou a usar roupas mais folgadas. E como ninguém em casa ligasse muito para ela, logo se sentia à vontade com o seu segredo.

Mas dava-lhe uma certa pena não ter a quem contar aquilo. O marido, nem pensar. A vida deles estava tão organizada, que não permitiria uma interferência daquelas, nunca se sabia quando as coisas começariam a desmoronar, e aí nada mais poderia conter a ruína. Nem a melhor amiga entenderia. Pois era uma boa mulher, divertiam-se um pouco juntas, mas um assunto assim, estranheza demais, talvez a afastasse.

Iam interná-la como doida; iam querer operar e cortar as asas; iam botar na televisão como monstro; iam isolar e manipular em algum centro de pesquisas, sabe-se lá. Para aliviar a agonia secreta dessa possibilidade, de noite saía para o pátio da casa, abria as asas e voava. Como uma mariposa gigante, sobrevoava o cotidiano, enxergando tudo de outra perspectiva, mais completa e mais vasta.

Num daqueles volteios, descobriu, não muito longe, um homem apenas olhando o céu da sacada de seu apartamento. Gostou dele, gostou daquele seu jeito, e ficou observando, pousada num telhado. Descobriu onde ele vivia; onde trabalhava; por onde andava no cotidiano. E começou a encontrá-lo fingindo que era por acaso, e tomaram juntos um cafezinho, depois foram ao cinema, e finalmente decidiram que estavam apaixonados e tinham de viver aquilo.

Ela teve muito medo de que ele descobrisse, e do que faria ao descobrir. Mas como paixão é glória e insanidade, consentiu, e encontraram-se, e quando ele insis-

104 | *lya luft*

tiu em que tirasse a roupa, da primeira vez ela não quis, fazendo-se de envergonhada.

Em outro dia, porém, ficou mais impaciente e ansiosa, e decidiu arriscar, mas pediu enquanto tirava a roupa:

— Vamos fazer em pé?

E quando, na penumbra, se abraçaram e logo começaram a gemer, e se esfregar, e se procurar, ela sentiu entre horrorizada e feliz que suas grandes asas se desdobravam. Mas o amante não se assustou. Não se afastou. Apertou-se mais a ela, dizendo, vem comigo, vem comigo, vem comigo.

E abriu suas asas também.

*o silêncio dos amantes* | 105

# 14 | A *Velha*

Lembro dela desde sempre: para todos nós, ela simplesmente estava ali e fazia parte da nossa história.

Tinha sido babá de meu pai, a quem, mesmo ele usando barba grisalha, ainda chamava "menino". Diziam que fora "caçada a laço" no mato. Meu avô a encontrara vagando, criança, num extremo da fazenda, que naqueles tempos era enorme. Parecia não saber de seu pai, nem mãe, aparentemente não tinha ninguém. Terminaram de criá-la, e tornou-se quase parte da família. Quase, porque suas esquisitices a deixavam à margem. Para mim era como um ser imaginário, um unicórnio ou a bruxa de João e Maria. Nem nome tinha: todos a chamavam "Velha". E não era com maldade, mas porque ela mesma se chamava assim. Quando pequena, eu achava que aquele era seu nome verdadeiro, feito Josefa ou Maria.

— Mas como era o nome dela quando era novinha? quando foi encontrada lá na fazenda do vovô?— perguntei à minha mãe quando me dei conta de que aquilo não era nome. Ninguém sabia, ninguém lembrava mais. Quando minha mãe tinha se casado, a Velha já

*o silêncio dos amantes* | 107

trabalhava para seus sogros, e meu pai não fazia a menor idéia ou não queria dizer.

A Velha morava conosco, mas não participava muito da nossa vida: vivia no porão, num quarto com minúsculo banheiro e uma só janela que ficava ao rés-do-chão, vista de fora. Lá ela gostava de ficar. Ajudava na cozinha eventualmente, mas com o tempo o defeito em seu pé a obrigava a ficar cada vez mais sentada. Instalavam-na perto da janela, escolhendo feijão ou arroz, descascando batatas, o pé defeituoso escondido embaixo da cadeira. É pata de elefante, ela dizia com um orgulho bizarro, mostrando o simulacro de pé sempre metido numa meia grossa. O formato era mesmo de uma pata, sem dedos, sem calcanhar, algo redondo que me dava arrepios. Tinha nascido assim, mas com a idade estava piorando, o pé ficou imenso e devia pesar quando caminhava num andar desajeitado e dolorido.

A Velha era diferente de todo mundo, não só por ser esquisita e desdentada, mas por ter um olho azul, outro castanho. Comentava-se que era por ter parte com o Diabo. Não que parecesse maligna, apenas era feia, torta, com aquela pata e aqueles olhos diferentes. Também era antes quieta do que falastrona, era fechada, gostava de ficar isolada. Mas às vezes, ajudando na cozinha e falando com a empregada, soltava umas risadas que pareciam cacarejo, e sacudia a cabeça de cima para baixo como uma galinha.

Eu sentia por ela aquele misto de fascinação e medo que se sente na infância por pessoas diferentes. Embora meus pais não aprovassem (deixa a Velha em paz!), eu e meus primos gostávamos de ir ao quarto dela, no porão, pedir que contasse histórias. Ela se escarrapachava na cadeira, nós nos sentávamos no chão, e ela desfiava umas narrativas meio amalucadas, que não faziam sentido, mas a gente adorava.

Naquele quarto ascético, apenas uma cama, uma cadeira, uma poltrona antiga de estofamento rasgado e um armário meio torto, sem um quadrinho nas paredes ou fotografia, o mais fascinante era a porta na parede dos fundos: uma misteriosa porta, uma portinha, tão pequena que por ela só passaria uma criança ou um anão. A gente olhava disfarçadamente, esperando adivinhar o que ali se ocultava, ou esperando que alguém, um monstrinho, um sapo, uma bruxa de verdade, de lá saísse para satisfazer nossa curiosidade. Mas a porta nunca se abriu, jamais descobrimos a chave para o território das nossas mais loucas fantasias: o que a Velha esconderia ali, que nem meus pais sabiam?

— Vai ver, rouba criancinhas e prende lá dentro numa gaiola — arriscou o menor de meus primos, e os outros riram dele. Minha mãe disse que a Velha devia guardar coisas só dela, sempre fora amalucada, não podia ser nada importante. Verdade era que ninguém jamais tinha entrado ali. Mas não era da nossa conta. Meu pai, interrogado, desconversou, e quando insisti classificou tudo como "bobagem de criança", era um quarto como outro qualquer.

— Mas você já passou por aquela portinha, papai?

— Não, é claro, o que eu iria fazer ali? E teria de passar de quatro, grande como sou. Mas isso não interessa. Não se metam na vida dela. Deixa a Velha com suas manias.

*o silêncio dos amantes* | 109

Não acreditei que tudo fosse tão trivial. Havia ali algo sinistro. Um de meus primos certa vez se animou e perguntou direto:

— O que tem atrás daquela porta tão pequena, Velha?

Ela deu um meio sorriso de quem esperava essa pergunta desde sempre, e saboreava desde sempre a resposta que ia dar:

— Nada para criança. E nada para gente grande também. Quem entra ali não volta nunca mais. Vocês querem tentar? — E nos olhou com um verdadeiro olhar de bruxa capaz de nos botar em uma gaiola e nos engordar para comer mais tarde. Saímos correndo, e sua risada nos perseguiu pelo pátio ensolarado. O mistério em torno dela cresceu ainda mais. Havia também o gato. Estava sempre com um gato nos calcanhares, ruivo e enorme, que chamava de Coisa Ruim. A cozinheira dizia que o gato era da banda do Capeta, daí o nome. Uma vez tomei coragem e perguntei:

— Velha, esse gato tem parte com o Diabo?

Ela riu seu cacarejo esganiçado, me encarou com o olho azul, o castanho sempre se desviava um pouco para o lado:

— Por que você acha que o nome dele é Coisa Ruim?

Apesar de tudo isso, nunca a vi fazer maldade. Nunca a ouvi insultar ninguém. Zangada, ficava resmungando sozinha feito uma bruxa de verdade, eu achava que eram pragas e feitiços. A Velha era além disso benzedeira. Mais de uma vez, quando eu ficava doente, com febre alta, minha mãe me levava ao quarto no andar de baixo, que servia de lavanderia, sempre com

*lya luft*

cheiro bom de roupa limpa passada a ferro quente. Meu pai não podia saber de nada, pois detestava superstição. Logo vinha a Velha com uma trouxinha, abria o pano em cima da mesa, botava água num copo, jogava dentro uns carvões, murmurando sem cessar coisas incompreensíveis com sua boca desdentada. Depois tirava do pé sadio o seu único chinelo, e passava sobre meu corpo ou minha cabeça, ainda fazendo suas rezas. No final, cada vez me pregando um susto, me dava um tapinha no alto da cabeça, como quem termina de espantar um mal.

Nunca deixei de ficar boa ou de me sentir muito melhor. E, certa vez, quando uma doença de pele que chamavam cobreiro foi se alastrando em círculo pelo meu peito de menininha, e uma tia ameaçou que se o círculo se fechasse nas minhas costas eu iria morrer, minha mãe me levou ao médico, que também era companheiro de caçadas de meu pai. Primeiro, ele receitou uma pomada, que de nada adiantou. Na segunda visita, depois de me examinar e olhar atentamente as feridas que estavam bem piores, depois de apalpar pescoço, avaliar a língua e a parte inferior dos meus olhos, virou-se para minha mãe e disse, meio sem jeito:

— Olha, você pede àquela sua bruxa que faça aí uma benzedura. Porque esse tipo de doença de pele não tenho remédio que cure. — Diante do olhar espantado de minha mãe, acrescentou ainda, rindo: — Mas não vá dizer ao seu marido, ou o sujeito briga comigo.

Repetiu-se a sucessão de gestos e rezas da Velha, e três dias depois, para espanto de todos, inclusive de meu pai que de nada sabia, amanheci com as feridas secas, que logo desapareceram. Fiquei ainda mais encantada com a Velha. De parte de Deus ou do Diabo, ela sabia das coisas.

*o silêncio dos amantes*

Em certas noites, sobretudo quando ameaçava tempestade e o céu era cortado de raios e trovões, a Velha saía para o pátio e andava de um lado para o outro, resmungando baixinho seus esconjuros. Mais de uma vez eu a vi da janela de meu quarto, e era de dar medo: manquitola, torta, lenço na cabeça, parecia realmente louca, com o gato correndo atrás dela, miando alto num jeito que me dava arrepios. Às vezes meu pai se irritava e botava a cabeça fora da sua janela:

— Vai dormir, Velha, vai dormir!

Ela obedecia, ainda resmungando. Logo depois que ela sumia, a chuva desabava forte. Mas na manhã seguinte lá estava ela sentada numa banqueta fora da porta que descia para o porão, tomando sol como qualquer plácida velhinha do interior.

A Velha nunca morreu. Certo dia estranharam sua ausência. Procuraram por ela, chamaram, pensaram que tivesse dado uma de suas raras saídas, e depois aparentemente não se interessaram mais. Perguntei várias vezes, mas ao redor dela se erguera um muro de silêncio. Ninguém sabia ou queria responder. Diziam apenas, saiu, sumiu, foi embora, voltou para o mato de onde veio. Vai ver, o lugar dela é lá mesmo.

Eu sabia que não era nada disso. A Velha tinha entrado no misterioso quartinho atrás da porta tão pequena que por ela só passaria uma criança ou um anão. Estava trancada por dentro, para o sempre do sempre. Tinha virado sapo, coruja, morcego, pedra, ou simplesmente estava ali mumificada, sequinha, com sua pata de elefante, e seu gato Coisa Ruim, que também nunca mais apareceu. Pois, ela mesma tinha nos dito, quem ali entrava não sairia nunca mais.

*Iya luft*

Hoje, raramente alguém se lembra da Velha em nossa família, quando nos reunimos: meus pais muito velhos, eu cheia de filhos, meus primos uns senhores circunspectos. Mas no pátio do edifício que hoje se ergue em lugar da casa da minha meninice, quando está se formando uma tempestade, quem prestar bem atenção há de escutar um cacarejar de galinha que podia ser o riso de uma bruxa, e um longo miado parecendo o lamento de uma alma perdida na escuridão.

# 15 | *O menino do mar*

Sua mocidade tinha sido uma continuação natural da infância, simples e feliz, no povoado de pescadores diante do mar, uns poucos veranistas começando a construir casas de alvenaria. Sua vida adulta era assim também, os quatro filhos, o marido ainda apaixonado, rude, mas cheio de bondade. Viviam na casa de madeira que tinha sido da sua avó, ela a neta preferida. A velha deixara por escrito que a casa seria dela.

Nascida na beira da praia, era boa nadadora. Conhecia bem o mar, suas mudanças e caprichos. Via nele uma espécie de amante, de secreto amigo. O melhor lugar do mar era a ilha, onde o pai a levava desde pequena: uma única ilha, ilhota, que o pai alcançava sem aparentar esforço, ótimo nadador. No começo, sob protestos da mãe, a levava nas costas. Ela segurava com força o pescoço dele e ia como pequena sereia de cabelo preto e molhado em cima de um golfinho, e disso brincavam.

Adolescente, nadava tão bem quanto os rapazes. Era alta, musculosa, ombros mais largos que os quadris, e a mãe a criticava pelo corpo de rapaz. Mas a cabeleira comprida e os peitos garantiam que era mulher, ah, sim.

*o silêncio dos amantes* | 115

Apaixonou-se pelo melhor pedreiro da aldeia, casaram e tiveram quatro filhos, todos homens como ele queria. O marido tornou-se uma espécie de construtor, fazia casas de veranistas, tinha obreiros sob seu comando, e eram felizes, na felicidade simples dos que curtem as coisas possíveis. Ela ainda nadava. Não tinha perdido a força e o prazer, e a ilhazinha era como uma propriedade sua. Os outros podiam achar esquisito, mas ela não se importava, e o marido nunca tinha pedido que desistisse. Chegava sozinha, deitava numa pedra grande e chata, continuava imaginando que no fundo verde-escuro moravam sereias e animais de fantasia, em cavernas de coral e palácios de vidro, como lhe contava, na infância, sua avó.

Era mais feliz ali, era mais feliz em casa? Ela não sabia. Sendo de natureza prática, habituou-se àquela vida dupla, às alegrias de cuidar da casa, amar o marido, criar os filhos, e o secreto prazer da solidão por uma ou duas horas, de vez em quando — só com o mar, as gaivotas, dois leões-marinhos que moravam ali. Não tinha medo de nada, e mais de uma vez voltou para casa, nadando firme, quando alguma tempestade ameaçava. O marido sabia, os filhos sabiam, era o jeito dela, e ninguém se preocupava.

Por alguma razão, dos quatro filhos amados, o menor era sua alegria especial. Era o mais dela. Talvez por ser o último. Talvez por ser tão parecido com ela, até nos cabelos pretos compridos, que o pai criticava mas ela deixava assim. E parecia adorar o mar, sem medo algum das ondas, gritando de alegria quando ela o erguia nos braços acima das espumas, ainda bebê. Aos

116 | *lya luft*

três anos, já carregava para além da rebentação quando o mar estava calmo, como o pai tinha feito com ela, nas costas, agarrado ao seu pescoço forte. Para a ilha só o levava de barco, porque receava, não sabia bem o quê, mas receava, sabia que era bobagem, coisa de mãe, tolice. Por aquele filho se preocupava como nunca tinha feito com os outros, acordava de noite e ia ver se ele dormia sossegado, se respirava bem. Cada vez que o contemplava, era como se algum milagre o tivesse posto em sua vida, tão forte, tão alegre, tão bonito. E quando ele brincava na beira da água, apesar de sua intimidade com o mar, ela às vezes o abraçava com tanta força que ele protestava, me larga, mãe, me larga!, e os dois riam. Ele a chamava de mãezinha, minha mãezinha, minha mãezinha. Aquele filho lhe parecia o único, embora não descuidasse dos outros.

Um dia, mais inquieta do que de costume com sua vida tão comum e tão boa, largou tudo no começo da tarde, a louça por lavar na pia, a roupa por passar empilhada na cama, os filhos maiores na escola. O menorzinho dormia tranqüilo. Uma menina da vizinhança, que vinha ajudar nos trabalhos da casa, arrumava os quartos, e se não conseguisse terminar os trabalhos, ela faria isso ao voltar. Entrou no mar, varou com braçadas decididas a rebentação, e depois de meia hora nadando firme estava no seu refúgio. De longe avistava a praia, a faixa branca da rebentação, as casinhas, as casas maiores dos veranistas que se multiplicavam, e a sua própria casa de madeira escura, com a varanda da qual se chegava direto na areia. Numa vaga euforia, ficou estirada no sol e adormeceu.

*o silêncio dos amantes* | 117

Acordou quando quase escurecia. Saltou na água direto, coração disparado, preocupada com a casa, o serviço, o marido que ia chegar, os meninos que deviam estar saindo da escola. O pequeno, ela sabia, estava bem cuidado pela empregadinha que já devia ter passado a ferro toda a roupa.

Mais perto da praia, viu pessoas correndo de um lado para outro, entre as ondas avistou gente apinhada na porta e na varanda da velha casa. Nadou o resto quase sem força nem respiração. Alguma coisa tinha acontecido, quem sabe um acidente com o marido ou um dos rapazes. Quando saía do mar, vieram correndo ao seu encontro, agitando os braços, gritando, chamando. O marido conseguiu recolher seu corpo grande e musculoso quando ela desmaiava.

O filho menor, o bem-amado, nos seus ternos três anos, tinha acordado querendo a mãe. A menina que lavava louça na pia o consolara, mamãe já volta, ela vem já. E continuou no seu trabalho, enquanto a criança brincava na varanda. O resto só conseguiram reconstituir aos pedaços: o menininho tinha procurado pela mãe no mar, tinha entrado na água, imaginava que seus bracinhos o levariam como fazia nas costas dela, mas não tinha forças para enfrentar aquelas ondas, nem teria conseguido voltar porque elas o puxavam: o mar o queria para si. Só foi encontrado no outro dia, roído de peixes e siris, numa praia ao lado.

Ela nunca mais falou com ninguém. Nunca mais tomou banho sozinha, nem comeu se não lhe davam na boca, e assim rapidamente mergulhou na sombra do esquecimento.

Algum tempo depois o marido se cansou de viver com aquela sombra. A mágoa pelo filhinho perdido o endurecera, não havia perdão nem entendimento no coração dele. Então a deixou com parentes e foi com os outros meninos para a cidade, onde encontrou trabalho, casou de novo, e parecia tê-la esquecido. Ela era a memória da dor. Os parentes depois a levaram para o interior, cuidavam dela. O marido, apesar de tudo, sempre mandava o dinheiro necessário para sua alimentação. Era a doida da aldeia, crianças vinham zombar dela quando a sentavam na frente da casa para tomar sol, feito um boneco.

Muitos anos depois, um dos filhos, já homem, procurou por ela, e a encontrou devolvida a si mesma. Estava lúcida, ainda alta, menos musculosa, e o cabelo todo branco preso na nuca. Só o passado parecia para sempre esquecido e não se falou dele. O filho a levou para a cidade, mas na casa dele ela não se ajeitou, nem reconhecia aquele homem grande com a mulher cheirosa e a casa bonita, os filhos mimados e estranhos. Por fim ele a colocou numa clínica, onde viveu o resto de seus anos, calada e distraída de tudo, fazendo incessantemente calções e blusas de criança, num interminável manejar de agulhas de tricô: a avó tinha lhe ensinado essa habilidade há muitíssimos anos, e na velhice ela a reaprendeu.

Os visitantes a cumprimentavam, que velhinha doce aquela, ereta na sua cadeira, sempre com seu tricô. As enfermeiras a chamavam "a nossa vovozinha". Não dava trabalho nem estava caduca, apenas gostava de ficar sozinha com seu trabalho manual. Sua única mania era a poltrona diante da janela, de onde se avista-

*o silêncio dos amantes* | 119

va um pedaço de praia e mar, que ela olhava a toda hora largando o tricô no colo, como se estivesse secretamente à espera.

Alguém haveria de vir daquelas águas, correndo pela areia com suas perninhas curtas. Estenderia os braços chamando minha mãezinha, minha mãezinha — e lhe seria devolvido.

# 16 | O *pássaro*

Depois de mais uma noite longa em que as caras atrás das cortinas, os olhos sinistros no canto do quarto, a mão embaixo da cama — tudo aquilo que os pais e até o psicólogo diziam ser fantasia da sua cabecinha —, não a deixaram dormir direito, ela saiu para o pátio toda enrolada em casaco, capuz e cachecol.

Antes de entrar no carro do pai que a levaria para a escola, viu o passarinho no chão. Quieto. Deitado de lado. Inclinou-se e o pegou, acolheu-o debaixo do casaquinho de lã, soprou em seu bico tentando aquecê-lo. Era tão cálida a ternura que sentia, que naquele instante foi mãe da criaturinha adormecida e exposta ao frio. O pai segurava a porta do carro aberta, entra de uma vez, menina, está um frio do cão aqui fora!

Ela chegou perto, entreabriu o casaco, mostrou seu achado.

— Olha, pai, ele está dormindo! Posso ficar pra mim? Posso botar na gaiola enrolado num pano para ele ficar quentinho, posso me atrasar um pouquinho para a escola, só desta vez? Depois a mamãe me leva?

O pai, atrasado para a reunião, não tinha vontade de brincar de faz-de-conta. Então disse, objetivo:

*o silêncio dos amantes* | 121

— Filha, o bicho está morto, bota isso fora!

A criança, apunhalada pela realidade, fugiu mais uma vez para a fantasia:

— Não é não, pai, ele está dormindo, estou sentindo o coração dele bater!

Era mentira, mas nem sempre a verdade era possível. Ficou ali parada, dura de obstinação, não deixava as lágrimas saltarem dos olhos, mãos congelando, firmada na sua teimosia de criança. Por algum tempo carrega o bichinho junto do peito, porém o calor é apenas seu, do seu amor, do seu desejo de dar vida e de ter alguma coisa inteiramente sua. Aquilo ela não teria de dividir com ninguém.

Finalmente o pai cede:

— Bom, então não bota fora, a gente enterra ele ali no canteiro, e eu explico pra sua professora que hoje a gente se atrasou, paciência.

Para ela, era a escolha entre dois sofrimentos: aceitava que o bichinho estava morto, mas ao menos podia enterrá-lo no meio das flores. Foi o que fizeram. O pássaro foi ajeitado entre folhas e pétalas numa caixinha qualquer, arranjada às pressas, ela e o pai o enterraram num canteiro, abrindo um buraco com a pazinha de brinquedo que ela tinha esquecido por ali. O pai não escondia a irritação, essa noite foi um pavor, seu irmão não deixou a gente dormir nada!, mas tentou ajudar apesar da falta de jeito. A mãe, ocupada com o bebê, não se deu conta nem do atraso nem do pequeno ritual. Certamente ia reclamar, larga esse bicho sujo, um bicho morto, que nojo!

Antes de fechar a tampa da caixa, a menina ainda acariciou aquilo que não voaria mais, e entendeu, sem

122 | lya luft

palavras, entendeu: o peso dos ossinhos, a maciez das penas, o pobre bico para sempre fechado, não formavam o pássaro. Faltava-lhe, para ser pássaro, a curva do vôo. Quem o tinha desinventado, quem o tinha abandonado assim? A avó diria que tudo dependia de Deus, e dele ela sentia um certo medo: vira seus olhos furiosos sobre nuvens escuras num bico-de-pena numa Bíblia para crianças.

Durante a manhã na escolinha não pensou em nada a não ser no pássaro embaixo da terra fria, e de ternura chorava disfarçando que era só um cisco no olho. Quando chegou em casa teve de ajudar a vigiar o bebê que dormia, enquanto a mãe fazia outros serviços na casa. A avó veio de visita, e foi preciso ficar com ela, ser bem-comportada, tomar café com bolo, e ouvir conselhos. Depois de todos esses deveres, no fim da tarde, a mãe outra vez ocupada com o bebê, o pai se despedindo para uma breve viagem de trabalho que ia durar alguns dias, ela subiu para um quartinho no último andar, uma mansarda, seu lugar de brinquedos. A única janela dava para o jardim, as árvores, e o canteiro onde tinham enterrado o pequeno cadáver.

Apesar do vento gelado abriu a janela, subiu no peitoril, e, sem refletir, sem decidir, sem nenhuma dramaticidade ou sofrimento, abriu os braços bem esticados. Então, só com um pequeno "ai", jogou-se no espaço, pronta para voar como aquele passarinho já não podia fazer.

Seu longo cabelo castanho ainda se agitou numa lufada de vento, como uma asa frustrada. Depois se recolheu, e lhe cobriu inteiramente o rosto quando ela chegou no chão.

*o silêncio dos amantes* | 123

# 17 | *Adria*

—A dria? Esse é o nome de mulher mais bonito que já ouvi — ele disse quando nos apresentaram.

Apertou minha mão num gesto trivial, mas o olhar já era de meu dono. Eu, que tratava meus vários namorados como brinquedos; eu, com quase trinta anos, filhinha do papai desde que minha mãe tinha morrido, na minha adolescência — eu fui subjugada.

Pouco depois estávamos juntos. Ele destoava completamente de meu grupo de amigos ricos, sofisticados, pernósticos e vagamente entediados. Tudo nele era vital, era verdadeiro. Dizia-se um homem tosco, vivia uma vida quase rude, mas cedo descobri que na sua camionete sempre suja de poeira ou barro escutava música com uma emoção contagiante, até para alguém pouco interessado nisso como eu. E me amava, embora criticasse, aberta ou sutilmente, meu tipo de vida, o luxo excessivo, as festas intermináveis, o tédio, as amizades, a falta de sentido em tudo. Você é bem melhor do que isso, ele dizia, mas precisa se descobrir.

Eu não dava maior importância, importante era aquela paixão.

É verdade que havia nele algo tenso e esquivo, que demorei a perceber. Felicidade cega. Nunca perguntei o que era, ele não disse. Nem eu quereria saber de nada negativo, nada ruim. Com ele eu quis me casar, quis estar sempre ao lado. Eu que sempre possuía, quis pertencer. Com o tempo fui dando recados nesse sentido, mas ele fingia não entender, ou de propósito ignorava. Eventualmente comentou que uma grã-fina como eu jamais entenderia seu tipo de vida, um homem do campo, cuja prioridade eram suas terras, seu gado, seus projetos. Chegava em minha casa, na casa de meu pai onde sempre morei, queimado de sol e irradiando uma força que fazia tremer meu ócio luxuoso. Às vezes reclamava da excessiva delicadeza de meu quarto, com tantas rendas, tules e babados. Não entendia que eu não me ocupasse de nada, e tínhamos uns diálogos recorrentes:

— Hoje em dia até mulher rica trabalha. Por que você não aplica seus talentos? Volte ao curso de Belas-Artes, você desenha muito bem, tem um traço próprio muito original. Curta isso.

— Eu curto você.

— Não basta. Dê um sentido à sua vida.

— O sentido dela é esperar suas visitas.

— Péssimo — ele disse, sombrio, mas também não levei a sério.

Uma única vez consenti em visitar sua fazenda próxima, onde ficava a casa mais confortável, que era de sua família há gerações. Fui como quem faz um favor. Fui cheia de condescendência e ilusão. Não percebi a sua expectativa, não entendi a importância daquela visita para minha vida. Eu me importei com a roupa que devia

126 | lya luft

levar. Quando viu minhas duas malas, ele deu uma risada nervosa:

— Tudo isso? Madame pensa que vai para Paris? Na fazenda é calça de brim, camiseta, botas e chapelão.

Fiz de conta que nem tinha ouvido. A fazenda ficava longe. Parte do caminho era terra e poeira vermelha, e já comecei a odiar tudo aquilo. Eu nunca passava desconforto. A casa era atarracada, baixa, rodeada de varandas, à sombra de uma árvore gigantesca. Só entrando percebi como era grande, uma construção sólida, até imponente. Fora dela e da árvore, era tudo intermináveis ondulações de campo. Não muito distante, um amontoado de casinhas dos empregados, e a perder de vista mais campo desolado com uns poucos bosquezinhos. O vizinho mais próximo ficava a quase uma hora dali. Empregadas e peões olharam com certo espanto minhas botinhas enfeitadas com strass e a blusa de seda decotada.

Não fui ver com ele o pôr-do-sol que ele tanto elogiava, ou melhor, dei uns passos fora da casa e quis voltar: o vento ressecava meu cabelo e irritava meus olhos. Não percebi o rumor das folhas, o cochicho da brisa no capim alto, nada do que ele mencionava me parecia interessante. Critiquei as privações e desconfortos, insetos e poeira. A comida era gordurosa, os lençóis ásperos, o banheiro gelado. As empregadas da casa nem ao menos usavam uniforme, ao que ele retrucou, achando graça, que não eram suas prisioneiras.

Havia um computador na sala de jantar, mas a internet não funcionava. Em compensação havia livros, muitos livros, enormes poltronas, tapetes de couro de boi, vigas grossas no teto, um aparelho de som e muitos cds

*o silêncio dos amantes* | 127

no quarto com varanda que a ramagem da árvore roçava. Hoje, vejo que era tudo de uma beleza quase solene, carregada de sentido. Naqueles dias chorei escondido quando ele dormia cansado, tomei mal e mal o café da manhã, bocejei no passeio em sua camionete para ver o gado de que ele se orgulhava. Plantações, nem pensar.

Em suma, foi um desastre e não tentei disfarçar. Regressamos antes do tempo. Ele me deixou em casa e não quis entrar. Viajou logo depois. Voltei para minha manicure e cabeleireiro, compras e encontros com amigos, festas, distraída do que se armava. Ele demorou a voltar, mas quando nos encontramos até eu percebi que estava mudado. Atrasava-se freqüentemente, parecia evasivo, talvez menos ardente. O olhar muitas vezes se perdia ao longe, seu ar era contrafeito. Mas eu não desistia fácil. Tentei fazê-lo admitir a idéia de morarmos na cidade, porque fazenda, campo, interior, jamais. Depois de um dia no sítio de uns amigos meus, onde tudo era conforto e modernidade, comentei entre outros elogios:

— E se um dia a gente tivesse um sítio como aquele? Isso eu ia adorar.

Ele ironizou:

— Aquilo é brinquedo de grã-fino, não tem nada a ver comigo! Acho que você nunca vai encarar a realidade da vida, sair da casa de seu pai, morar sozinha, ser mais independente, estudar ou trabalhar.

Então ele não pensava em morarmos juntos. A um tempo humilhada e arrogante, provoquei:

— Balconista de joalheria ou auxiliar de escritório?

Ele ignorou meu sarcasmo:

— Estou pensando no seu bem. Você tem um lado sensacional, é um ser humano interessante mas nem se dá conta disso, não se leva a sério. A vida é como um mar, um mar enorme, a gente tem de se esforçar, buscar um objetivo, curtir as ondas, o vento, e nadar, ou afunda. Às vezes tenho a impressão de que você, sua gente, apenas flutuam na superfície da vida, das coisas, morrendo de tédio. Mas você pode mudar! Existe outra aí dentro! Essa que na nossa intimidade despe a fantasia de grã-fina besta e vira uma mulher de verdade.

— Você está parecendo a minha terapeuta.

— Pois dê ouvidos a ela.

Minha velha terapeuta tentava me sacudir:

— Seu namorado parece um ótimo sujeito, mas tome cuidado: é um homem, sabe o que quer, quer a vida que está construindo. Você não acredita em si mesma, sempre a menina mimada do papai. Mude, mude de verdade, ou vai perder esse moço. Ele parece estar sempre de perna levantada para entrar na tal camionete suja de terra, e voltar à vida real — longe da sua.

Eu mal controlava as lágrimas.

— Se a nossa história terminar, eu morro.

Terminou com uma tempestade anunciada que eu não tinha querido admitir, num último encontro confuso e triste. Discutimos por bobagens, e pela primeira vez fiquei insegura: eu estava perdendo aquele homem. Mas não me entreguei. Tinha terminado um retrato dele, a crayon. Achei que era hora de dar a surpresa, de agradar. Peguei na gaveta de minha mesa-de-cabeceira, e entreguei a ele. Era um bom retrato, eu sabia disso: o perfil um pouco avançado, ar de figura de proa, os traços fortes. Ele elogiou, sorriu, mas devolveu com um beijo casual:

*o silêncio dos amantes* | 129

— Muito bonito. Guarde. É seu. Meu jeito de ficar com você.

— Por que está falando assim? Você está comigo, você é o homem que eu amo.

Ele saiu da cama, enrolou-se numa toalha, e começou a falar num tom sério que eu desconhecia:

— Venho querendo ter essa conversa com você há muito tempo, mas estamos pouco juntos, e quando estamos juntos quero... — sorriu seu sorriso que me desarmava — quero *ter* você. Hoje acho que reuni coragem. — Uma coisa morna, e pegajosa, começou a rastejar do meu estômago para a garganta. Ele continuou, mais incisivo: — Não é correto de minha parte continuar com esta relação.

Meu estômago se contraiu:

— Mas a gente se dá maravilhosamente bem!

Ele fitou a parede atrás de mim:

— A gente não se dá maravilhosamente bem. Paixão não é tudo. Entre nós falta parceria. Há toda uma vida real, a minha vida, e a de muita gente, que você ignora, não quer entender, acho que despreza. Um casamento nosso seria um desastre, nem vale a pena tentar. Aqueles poucos dias na fazenda foram decisivos. Você detestou tudo... seja sincera. Não tentou se abrir um pouco, gostar de ao menos algumas coisas. Eu por outro lado não posso abdicar de tudo que estou construindo.

— Eu não detestei... — ele não me deixou prosseguir.

— Detestou. Ficou assustada, deslocada e infeliz. Nem posso criticar você, há coisas que estão fora dos nossos limites, e você tem uma vida muito limitada. Também não posso esperar que abdique de tudo que tanto aprecia.

*lya luft*

— Mas você pode administrar seus negócios a gente morando numa cidade... — tentei, e ele me olhou duro, até zangado:

— E você pode acordar do baile à fantasia que é a sua existência.

— Se você me amasse, ia querer ficar sempre comigo.

No momento em que disse isso, pela primeira vez percebi toda a minha imaturidade e egoísmo. Ele me olhou com um ar de dura reprovação:

—Você não me conhece. Não faz idéia do meu trabalho, meu tipo de vida, do que é importante para mim. Nunca vou ser metido a aristocrata como seus amigos, e você nunca vai ser a parceira de que eu preciso.

Soergui o corpo na cama, apoiada no cotovelo:

— E por que não? Não sou uma fútil como você pensa. — E acrescentei, mais uma vez mentindo: — Eu posso me adaptar, também gosto da natureza.

Ele andou de um lado para outro, parou, passou a mão no cabelo repetidamente, ar desamparado, me olhou com um sorriso que me pareceu piedade:

— Você gosta da natureza no Central Park visto da janela de seu hotel de luxo em Nova York, meu bem. Sinceramente não sei como consegue ser tão carinhosa, tão apaixonada na cama, de onde vem essa química incrível entre nós. Mas isso não basta. — Antes que eu encontrasse uma boa resposta, a que poderia me salvar, ele endireitou os ombros, e falou, calmo e frio: — Olha, eu sabia que esse dia ia chegar, essa hora, e juro que não queria. Adiei o quanto pude, quem sabe eu esperava um milagre... Tenho-lhe dado recados de todo jeito, aqui e ali, mas você é tão distraída, tão cega na sua infantilidade, que chega a ser comovente. — Vislumbrei uma

*o silêncio dos amantes* | 131

esperança, mas ele prosseguia, já controlado: — Eu não sirvo para casar com você. Deixei que essa história se prolongasse demais, e peço perdão por isso.

— Mas por que você ficou comigo tanto tempo? — eu misturava raiva com incredulidade.

Ele sorriu um meio sorriso:

— Porque apesar de tudo, desse seu tipo de vida, suas maluquices e sua superficialidade, eu te amo. Amo a mulher que está escondida em você. — Fez um gesto em minha direção, a voz num crescendo, depois deixou cair a mão de novo, e repetiu: —Essa que você talvez nunca encontre, porque não está procurando. Nesse nosso tempo juntos, entendi que amar não é suficiente.

Foi até a janela, agarrou-se no peitoril, agora de costas para mim. Meu coração doía tanto, fisicamente, que pensei: "Vou ter um ataque do coração, não vou agüentar". Ele falava sem me olhar:

— Nunca te prometi nada, não foi?

Balancei negativamente a cabeça, embora ele não pudesse ver, ainda estava de costas. Ele se compadeceu. Veio até mim, sentou-se na beira da cama, tentou ajeitar o lençol no meu corpo, mas eu me agarrei a ele, desesperada e nua, dizendo baixinho, não me deixa, não me deixa...

Ele pigarreou, uma, duas vezes, fazia isso quando estava atrapalhado.

— Ainda não consigo imaginar que não vamos mais nos ver. Você é o amor da minha vida. *Nunca* esqueça disso — ele falava junto dos meus cabelos, me apertava com tanta força que quase doeu. — Mas é preciso. E não é só por mim, não. É para o seu bem. — A voz dele sumiu.

— Para o meu bem? Minha mãe dizia isso quando me botava de castigo. Você está há horas me dando o fora, e a burra aqui, a criançona, não se deu conta de nada! — Olhei bem nos olhos dele, os dois estávamos chorando. Achei tudo tão absurdo que comecei a rir baixinho, histericamente: — Então, porque me ama, você prefere me fazer sofrer, vai dizer isso agora? Vai casar com uma caipira que não ama, viver naquela vida horrorosa, e eu que me lixe?

Ele se soltou, levantou-se, pegou suas roupas na cadeira e foi até o banheiro, onde se trancou. Continuei sentada na cama, agora enrolada no lençol, começando a recuperar a confiança. Se estava sendo difícil para ele, eu não ia perder aquele homem, não ia. Repeti para mim mesma, sussurrando, "tudo vai dar certo". Era um truque que usava desde menina. Quando as coisas começavam a ficar difíceis, ou eu não ia conseguir algo que queria muito, repetia a frase mágica. Ele voltou vestido, rosto lavado, e o olhar que fixou em mim era frio:

— Olha, eu quero que você acredite em mim — falava baixo mas era irredutível. Ficou parado ao pé da cama. Nada de beijo, nenhum toque, nenhuma brandura. — Eu de verdade te amei. Cheguei a avaliar a idéia de ficarmos juntos, mas seríamos os dois infelizes. — Então mudou o tom de voz, agora havia um toque de raiva: — O fracasso desta relação não é só culpa minha. Você não quis enxergar meu lado, não me leva a sério porque não se leva a sério, para começar.

Sentei-me na cama, sem ligar para o lençol que caía, e fiz a pergunta que nunca tinha feito em todas as suas longas ausências:

— Você tem outra mulher?

*o silêncio dos amantes* | 133

Ele pareceu um pouco surpreso, mas não desviou o olhar. Pensou, e disse intencionalmente claro e positivo:

— Tem uma moça, sim, criada no mesmo meio que eu, que conheço há muitos anos. Não sei se vou me casar com ela ou outra pessoa, mas esse não é o problema. Não bote sempre nos outros a culpa pelo que lhe acontece. A questão não é eu dormir com ela. É saber que uma vida nossa seria um fracasso. — E acrescentou, impaciente: — Olha, não vou mais ficar repetindo as mesmas coisas.

Estávamos os dois cansados e sem graça. Sem vontade de continuar discutindo. Não houve um abraço nem um breve toque de lábios. Apenas o fim melancólico. Ouvi seu passo na escada, a porta batendo, o carro partindo. O retrato que eu tinha feito dele ficou em cima da cama.

Naturalmente, não aceitei aquela perda. A cada dia mais eu avaliava quanto havia perdido. Telefonei-lhe várias vezes, ele mandava dizer que estava fora. Mandei dezenas de emails, mas desconfiei de que ele não abria, depois passaram a ser devolvidos. O endereço não existia mais. Uma vez acertei num telefonema, ele estava em seu apartamento na cidade, ali perto, e atendeu. Despejei toda a minha confusa dor, a raiva, a humilhação. Por fim repeti feito criança:

— Não faz isso comigo, não faz isso comigo...

Mas ele desligou sem uma palavra.

Meio ano depois, casou-se com a moça de quem tinha falado, uma família tradicional, também de fazendeiros. Todos tentaram me convencer de que tinha sido muito melhor, você nunca ia se habituar àquela vida, imagine, logo você. Mas eu só queria sofrer. Passava na

134   |   *lya luft*

cama a maior parte do dia, boa parte da noite ficava insone em meu quarto. Imaginava modos de vingança, ou jeitos de me matar. Com o tempo a vida foi se recompondo, e chegou o dia em que quase não doía mais.

Vivi mais ou menos como tinha esperado antes de o conhecer. Luxo e festas, viagens, um marido que era do meu meio, um filho lindo criado pela babá mais do que por mim. Nunca mais pintei, nem desenhei: o retrato dele estava no fundo de uma gaveta. Por longos períodos eu até o esquecia. Fui quase feliz, talvez porque, como ele dizia, minhas expectativas eram limitadas. Mas no fundo de mim havia uma sensação de perda, um vazio permanente que aumentava com o passar dos anos. Meu marido perguntava:

— O que você tem?

— Nada, ora.

— Mas você nunca está inteiramente aqui comigo, nunca está feliz.

O reencontro foi durante o velório de meu pai. De repente ele estava ali, vindo em minha direção, e apesar da tristeza do momento senti as pernas tremerem quando me levantei para receber seu abraço. O olhar era o mesmo de antigamente, falava comigo olhando a minha boca. Era ainda a mesma voz. Mal consegui murmurar algumas palavras, e ele já estava se afastando entre as pessoas.

A antiga chama continuava acesa. E se eu telefonasse? E se o procurasse? Meu casamento estava estagnado, a vida vazia, agora eu me dava conta disso. Muitas vezes pensei na outra mulher que ele via em mim, tinha amado em mim, e que, ele dizia, eu desconhecia. Mas não procurei por ele, não tentei nada.

*o silêncio dos amantes* | 135

A participação de sua morte no jornal, anos mais tarde, reabriu definitivamente a ferida: sua mulher e os dois filhos homens anunciavam missa, hora, igreja. Não compareci. Não mandei condolências. Eu também estava de luto. Num dia igual à maioria dos dias da minha vida, pouco depois, recebi pelo correio um pacote: parecia ser um livro fino. Dentro havia cartas. Num envelope pardo, cartas e bilhetes dele para mim, às vezes com longos intervalos, eventualmente quase um diário de seus trabalhos, tristezas, sucessos. Era feliz, era infeliz, como todo mundo. Um bom casamento, dois filhos homens que lhe davam alegrias. Sabia muita coisa a meu respeito pelos seus amigos, pelas notas nas colunas sociais, tanta festa, tanta viagem, tanto elogio. Uma frase me tocou mais: "Alguém comentou comigo que você em pessoa continua linda, mas ninguém sabe por que seus olhos são tão tristes. Será que às vezes pensa em mim?"

A carta mais recente, escrita à mão, dizia:

"Estou doente. Pedi a meu filho mais velho que um dia enviasse isso para você, num envelope grande lacrado. Preciso dizer que você continuou sendo o amor da minha vida. Tive um bom casamento, uma vida boa. Mas nunca mais senti o que sentia por você, nunca mais vivi o que vivi com você. E nunca tive certeza de ter tomado a atitude certa. Mil vezes pensei que talvez você pudesse ter se adaptado, ou que eu deveria ter cedido um pouco. Quem sabe teríamos sido apesar de tudo um grande par."

Reli incontáveis vezes aquelas cartas vindas de um outro mundo, no qual talvez eu tivesse sido feliz com ele. Algumas impressas, outras à mão, dezenas delas. O

136 | *lya luft*

homem da minha vida estava morto. Uma parte de nós fora desperdiçada, sem volta, sem remédio. Errou ele, errei eu? Essa dúvida, pungente dádiva, foi seu último presente para mim. As cartas não eram para olhos profanos. Não interessavam a mais ninguém. Queimei tudo na lareira da sala, quando não havia ninguém em casa. Cartas em fundo de gaveta podem ser perigosas.

Basta um desenho antigo, já amarelado, um perfil marcante como uma figura de proa avançando pelo grande mar onde para sempre nos perdemos.

# 18 | *Presente de Natal*

M inha mãe disse:
— Hoje você vai comigo visitar sua avó.
Não tem quem fique com você, e você já
está grandinha. — E acrescentou: — É quase Natal.
Quero levar algumas coisas para ela.

Eu tinha vontade de rever minha avó, que não via
desde que ela adoecera de verdade querendo tirar a
roupa e gritando muito, ou querendo fugir para a rua, e
não era mais possível só uma empregada para cuidar
dela.

A clínica era clara e espaçosa. Na entrada, uma árvore de Natal cheia de bonequinhos, estrelas de papel e
outros pequenos objetos. Havia no ar um cheiro esquisito, de bebê e de velhice, misturado com desinfetante.
Pessoas em cadeiras de roda, em sofás, ninguém muito
vivo nem muito morto. Por uma porta aberta vi uma sala
com várias camas, e numa delas uma velha do tamanho
de uma criança, uma mangueirinha enfiada no nariz, a
boca bem aberta. Imóvel. Entramos. Ninguém se
movia, ninguém dizia nada, só a enfermeira andava
entre as camas, vigiando, ajeitando, fazendo algum carinho naqueles velhíssimos bebês.

*o silêncio dos amantes* | 139

O que sobrara de minha avó sentava-se numa poltrona ao lado da cama, e sobre seu peito magrinho tinham amarrado frouxamente um lençol. Minha mãe explicou que era porque às vezes, delirando, ela se levantava e podia cair. Tão pequena estava que os pés balançavam acima do chão, espiando por baixo da coberta colorida. Estava só de meias. Tinha encolhido e murchado, como uma boneca de cera perto do sol final. Os olhos eram os mesmos — e já não estavam aflitos. Estavam pasmados. Mas não parecia infeliz. Pois quando ergueu os olhos para minha mãe, disse:

— Bom dia! Você veio para a minha festa de quinze anos?

Não sei se me reconheceu, mas sorriu parecendo muito contente, alguém tinha vindo brincar com ela. E quando me sentei ao lado dela, disse, preocupada:

— Cuidado, não vai sentar em cima do meu bebê!

Não havia nenhum bebê ali, mas fiquei quieta. Minha mãe não pareceu estranhar. Entregou alguns pacotes à enfermeira, ajeitou um ramo de pinheiro com algodão fingindo neve num vaso sobre a mesa-de-cabeceira. Procurou distrair a velhinha que um dia fora sua mãe. Mostrou revistas e doces, mas não conversavam de verdade: Vovó falava o tempo todo sem parecer ouvir o que a outra dizia. Várias vezes repetiu:

— Os grilos, como estão cantando hoje!

E dirigia-se a umas pessoas que não estavam ali. Ou estavam e só ela via? Aí eu tive um pouco de medo. Talvez Vovó agora vivesse num tipo de esconderijo onde não precisava obedecer nem mandar. Não precisava ser inteligente nem esforçada, nem cumprir nenhuma tarefa. Minha mãe se afastou por um momento para falar

*Iya luft*

com outra enfermeira, e eu fiquei ali, fascinada. Nisso minha avó me faz um sinal com ar maroto, eu me levanto e chego mais perto. Que estranho cheiro o da velhice: mofo, alfazema e segredos. Ela estende as duas mãos em concha, pede com arzinho cúmplice:

— Apanha aí, mas com cuidado, não deixa derramar nada... — E arregala muito os olhos.

Faço o que ela pede, e, cuidadosamente, atenta, minha avó despeja nas minhas mãos algo invisível. Não se vê nada, mas escuto nitidamente o barulho de algo que se escoa, pedrinhas ou sementes escorrem no vazio. Depois, quando minha mãe volta, ela pega a mão da filha num jeito doce e submisso, e diz:

— Mãe, você está ouvindo os grilos?

Naquela noite minha mãe comentava com meu pai:

— Que coisa mais triste, mais desumana, ela não está nem viva nem morta, tem um aspecto horrível. Foi uma mulher tão linda, agora está louca desse jeito. Que injustiça.

Meu pai só pigarreou, não queria falar. Emoções o deixavam atrapalhado: ele gostava de tudo medido e resolvido. Minha mãe teria de moer sozinha aquela grande pedra. E eu não podia fazer nada, eu era só uma menina.

Peço que ela me leve mais vezes para visitar Vovó. Minha mãe diz:

— Você é uma menina muito boazinha.

Mas eu não sou boazinha: sou curiosa. Gosto dessas visitas, dessa avó que virou criança e que os adultos não entendem. Nessa tarde minha mãe senta junto da janela e lê uma revista. Eu fico perto de minha avó. A enfermeira entra no quarto, animada como se cuidasse de um jardim-de-infância cheio de lindas crianças. Bota uma espécie de babador no pescoço da menina velha, dizendo alegremente:

— Olha o lanchinho! Olha o lanchinho!

E começa a dar bolo e golinhos de leite. É preciso colocar pedaços de bolo entre os dedos de minha avó, e cada vez dizer:

— Segura, segura, é bolo. — A velhinha olha, encantada com aquele jogo, segura o bolo. — Bota na boca, bota na boca!

Ela leva a mão à boca, indecisa, mas por fim consegue. Tudo é demorado e complexo. Crio coragem e pergunto à moça:

— Por que a senhora mesma não dá a comida na boca da vovó?

A enfermeira me olha meio aborrecida, mas explica:

— É preciso estimular, ela ainda não está inteiramente dependente. — E prossegue para minha atônita avó: — Agora mastiga, mastiga!

Não sei de onde a enfermeira tira tamanha paciência e toda aquela convicção. Não sei se minha avó de verdade não entende mais nada, ou apenas finge e se diverte com o engano das pessoas. Inesperadamente, entre duas colheradas daquele bolo com cobertura cor-de-rosa, ela me lança um olhar esperto. Naquele instante está tão lúcida quanto eu. Seremos, as duas, cúmplices de algo que ainda preciso descobrir? E ela só está fingindo?

Finalmente come o bolo todo e toma seu leite, um processo infinitamente lento e complicado cheio de repetições e estímulos, como se fosse fazer alguma prova importante no colégio. Quando lhe botam na mão o guardanapo de papel, é preciso repetir tudo:

— Agarra. Segura bem. É guardanapo. Para limpar a boca. Limpa a boca!

Minha avó leva a mão à boca e começa a comer o guardanapo. Minha mãe larga a revista, e sai do quarto quase correndo. Eu fico vendo a enfermeira brincar com minha avó, fingindo ralhar com ela, e ainda lhe dar um beijo na testa enquanto tira de sua boca murcha os pedaços de papel desmanchado. Nisso a velha começa a evacuar mansamente. Agita-se um pouco, olha a enfermeira como se suas lembranças confusas lhe dissessem que aquilo não estava muito direito, mas a moça a conforta, segura carinhosamente a mão dela e diz:

— Faz, faz o seu cocô, pode fazer. Nós estamos de fralda, lembra?

Agora eu também não agüento mais. Salto da cadeira, assustada e triste, e vou para junto de minha mãe, que está pensativa, parada numa pequena sacada na saleta, sobre a rua. Ficamos de mãos dadas, quietas como os velhinhos e velhinhas que cochilam nas poltronas lá dentro, junto a outra árvore de Natal incongruente e feia, num silêncio como algodão molhado. Olhamos a rua onde a vida prossegue ignorando toda a tristeza, a loucura e o absurdo: gente e carros, e um sol glorioso.

Foi minha última visita a minha avó. E nunca esqueci. Mas o que realmente me inquietou foi um ou dois olhares dela, diretos para mim, com um ar de malícia, como a me dizer que os doidos eram eles. Que ela estava só fingindo. E que aquele segredo era seu último presente de Natal para mim.

*o silêncio dos amantes*  |  143

# 19 | O *perdão*

Fui a mais moça de cinco irmãs, e devia ter nascido homem.

Meu pai brincava com um resquício de aborrecimento: Do meu saco só sai menina! E de certa forma me tratava como a um filho. Fui sua companheira de pescarias, nadava com ele no clube, me ensinou a jogar tênis e a ser boa no tiro ao alvo. Seus amigos, que tinha muitos, também comentavam que eu devia ser rapaz, e quando menina eu achava isso um elogio. De minhas irmãs, todas lindas e alegres como um bando de caturritas agitadas, como meu pai dizia, sempre fui mais chegada a Leilah, a mais velha. Nossa mãe, depois do último parto, ficou frágil e seguidamente estava de cama. Na família murmurava-se que era depressão, anemia, qualquer coisa misteriosa. Fosse qual fosse sua enfermidade, pouco participava da vida daquela casa.

Leilah não era a mais bonita das cinco. Porém seus olhos eram impressionantes: grandes, fundos, pálpebras pesadas, e uma cor singular entre cinza e verde. Eram também os olhos mais tristes que já vi. Aos quinze anos meus pais a casaram, algo quase medieval, mas foi assim mesmo: ela foi convencida ou empurrada, como diziam

*o silêncio dos amantes* | 145

as más línguas, pela fantasia de minha mãe, e quem sabe a cobiça de meu pai.

Eu era uma meninota e lembro poucas coisas do começo da história, muitos detalhes minhas irmãs contaram. Ela acabava de fazer quinze anos quando nossa casa recebeu uma visita ilustre, um grande comerciante que pretendia abrir uma filial de sua empresa na cidade, e poderia ser muito importante para meu pai, que acabou gerente dessa firma.

O visitante foi tratado como um rei. Acho que no começo Leilah se encantou por ele. Nunca tinha tido um só namorado, era ingênua feito uma criança, ele todo perfumado, bem-vestido, sedutor. De parte dele pareceu uma paixão fulminante, e tão ardente que certa vez minha mãe lhe explicou que tínhamos uma educação muito severa, meu pai não permitia conversas mais abertas, namoro só depois dos quinze anos, e Leilah possivelmente nada sabia sobre intimidades. Minha mãe falou corando, mas o visitante foi gentil e educado: não se preocupe, para mim sua filha é uma jóia rara, vou cuidar muito bem dela.

Chamava-se Balduino, e meu pai gostava de dizer que era nome de rei. Minha irmã Leilah tinha menos de dezesseis anos quando se casaram, e um dia ela me confessaria que tinha do sexo apenas uma idéia muito vaga, coisa de romances que lia. A lua-de-mel seria no exterior, mas passaram a primeira noite no melhor hotel da cidade. Na manhã seguinte cedíssimo, Leilah bateu na porta de nossa casa, e aos prantos implorou para voltar, para descasar, qualquer coisa que a afastasse daquele homem. Nunca mais queria ver a cara dele, nem chegar

146   |   *lya luft*

perto. Tinham acontecido coisas horríveis de que ela jamais haveria de querer falar.

Não sei a reação de minha mãe, mas meu pai nem a deixou sentar numa cadeira:

— Filha minha não larga o marido. Essas coisas são naturais no casamento, você vai se acostumar. Não seja criança. Volte já para ele, e comporte-se como a mulher casada e decente que você agora é. E lembre que se me causar problemas com Balduino, estará promovendo a ruína desta casa: ele é meu patrão.

Não sei exatamente o que minha irmã fez depois disso. Minhas lembranças mais claras dela são de quando estava casada há alguns anos. Ela devia estar com vinte e poucos e eu entrava na adolescência. Era ainda um moleque, ela dizia quando vinha nos visitar, pois moravam numa outra cidade, muito maior. Certo dia Balduino, menos bem de negócios, resolveu que se mudariam para nossa cidade, e manteve apenas a filial da empresa que tinha ali.

A vida deles agora era discreta, pouca festa, pouca viagem. À nossa casa vinham raramente. Meus pais o adulavam. Eu sempre o enfrentei. Respondia a suas perguntas bobas olhando nos olhos, era insolente, recusava seus convites para comer ou dormir na casa deles, mostrava sem rodeios que o achava detestável. Detestei meu cunhado desde sempre. Achava, mais por intuição do que por saber, que ele era a causa primeira da infinita tristeza de Leilah. Nunca tiveram filhos, o que para ela era uma grande dor. Brincava que eu era sua filha. Quando Balduino viajava, ela me pedia para dormir em sua casa. Longe dele parecia alegre, me levava a passear, me pedia que cuidasse para não virar rapazinho com

*o silêncio dos amantes* | 147

aquela predileção de meu pai por me ensinar coisas masculinas e cortar meu cabelo tão curtinho. O dela era de um louro escuro, comprido, mas sempre preso como o de uma dama antiga.

Algumas coisas fiquei sabendo bem mais tarde, quando eu já tinha idade para ser sua confidente. Seu desejo de ter filhos era um tormento. Embora o marido não os quisesse por achar que crianças eram um estorvo, e por querer vê-la para sempre magra e linda com aqueles seios empinados, numa das viagens dele ela decidiu consultar um médico especialista, e foi sozinha, nem minha mãe sabia.

Consternado, o médico anunciou que ela não podia engravidar porque tinham-lhe ligado as trompas. Seria mesmo possível que ela não soubesse? Leilah não acreditou, depois se desesperou, não fazia a menor idéia de nada, e finalmente confidenciou com minha mãe. Chegaram à terrível conclusão de que numa viagem ao exterior em que ela tivera uma apendicite aguda, com menos de vinte anos, e fora operada, Balduino tinha convencido um médico a fazer a ligadura.

Quando ele voltou, Leilah o interrogou, reunindo toda a coragem do mundo pois tinha medo dele, e Balduino cinicamente admitiu tudo:

— Casei com uma fada, não com uma melancia.

Minha irmã desenvolveu por ele um ódio tão terrível que até eu mesma me assustei quando, ao fim de trinta anos de casamento, ela me visitou e me disse que ia se separar, eu a apoiaria? Não estava mais agüentando, não queria ficar velha e morrer naquela vida. Eu era a única solteira das cinco irmãs, era uma executiva de sucesso, ganhava muito bem, morava sozinha, e apesar de vários namorados nunca tinha querido me casar. Não porque, como alguns vaticinavam, gostasse pouco de homens, mas porque gostava muito da minha independência. E porque ninguém ainda tinha me despertado tão grande amor e paixão que me fizesse mudar de idéia.

A essa altura nossos pais já tinham morrido, e talvez por isso ela agora tivesse coragem para separar. Segundo ela, só em mim confiava para ajudar, não que não gostasse das outras irmãs, mas porque nós duas éramos as mais unidas, e eu era livre. Podia morar comigo por algum tempo, eu não teria receio de ir com ela tirar suas coisas essenciais de casa num dia em que ele se ausentasse. Fui a ponte entre ela e um excelente advogado, pois seria uma separação tumultuada e difícil, uma vez que Balduino não admitia a possibilidade de uma separação.

Na minha visão prática e otimista das coisas, logo me prontifiquei. Eu a ajudaria e protegeria em tudo, pois embora sendo eu a mais moça e ela a mais velha das cinco, éramos as mais unidas. Eu me sentia um pouco sua filha, e livrá-la de Balduino me dava prazer. Mas a separação foi quase uma tragédia. Ele, por telefonemas, bilhetes ou conhecidos, ameaçava matá-la ou se matar. Seus protestos de amor e paixão, de incapacidade de viver sem ela, quase me comoveram. O medo que ela sentia do marido a levava a fazer as piores escolhas, renunciando aos seus bens e a qualquer dinheiro dele, contrariando o advogado, que quase desistiu. Balduino a perseguia de tal maneira que tive de ameaçar com polícia caso ele mais uma vez botasse o pé no edifício onde a gente morava.

Finalmente, após uma batalha longuíssima e difícil, em que muitas vezes perdi a paciência com minha con-

*o silêncio dos amantes* | 149

fusa irmã, a separação se oficializou, e mais tarde o divórcio, do qual ela fazia absoluta questão. Meu cunhado, a quem eu vi raramente depois disso, desmoronou. Humilhava-se, implorava a parentes e conhecidos que promovessem algum encontro. Tentava avistá-la de longe que fosse, na rua, em alguma loja. Mandava flores, presentes, que ela jogava no lixo sem olhar. Alguns anos depois foi à falência, desinteressado dos negócios, e passou a morar numa casinha modesta de subúrbio.

Nenhuma dessas notícias comoveu minha irmã, que desabrochava, a cada ano mais bonita, mais alegre, até viajando comigo. Manteve sempre seu jeito indefinível, reservado, mas que a tornava atraente. Ficamos morando juntas, sua presença não me estorvava em nada. Era quase uma figura de livro de histórias, com habilidades femininas de que eu era desprovida: bordar, tecer, pintar aquarelas, preparar pratos delicados, até costurar coisas diferentes para mim, uma blusa com rendas, uma echarpe esvoaçante. Eu tinha de ser mais feminina, dizia.

Nunca, em nossas confidências, entrou a fundo em sua intimidade com o marido. Apenas admitiu que aquilo a enojava de tal forma que seria capaz de vomitar se precisasse me dar detalhes. Às vezes eu imaginava a que maldades e perversões teria sido submetida já aos quinze anos. Ainda tentei, com muito tato, descobrir alguma coisa, mas naquele terreno ela não me dava acesso, e desisti. Há coisas que é melhor não saber.

Finalmente chegou a notícia de que Balduino estava muito doente, e antes de morrer precisava lhe pedir perdão. Que chorava convulsivamente chamando seu nome, até que por fim a médica dele, compadecida e sabendo um pouco daquela difícil separação, telefonou pedindo que eu convencesse Leilah:

— Por pior que seja a lembrança que ela tem dele, hoje está uma ruína, um pobre velho que sabe que vai morrer e quer pedir perdão. Veja se você a consegue convencer. Certamente também vai ser melhor para ela. Ódio envenena.

Fiz o que pude, afinal ele ia morrer. Mas minha irmã parecia uma estranha: o que nela era doce estava amargo, o que fora suave era duro, e a tristeza de seus olhos singulares fora substituída por um ódio quase assustador.

— Leilah, o cara está morrendo, a médica falava sério — eu repetia, e ela me olhava sem nenhuma emoção.

— De jeito nenhum. Ele que morra, que queime no inferno.

Aquilo era dito entre os dentes, com verdadeira fúria. Por fim consegui convencê-la de que não faria mal só chegar na porta do quarto do infeliz, dizer qualquer coisa e sair. Ele poderia morrer em paz, e ela estaria para sempre livre. No corredor do hospital caminhava como se fosse à guerra, o passo quase marcial. Segurava minha mão com tanta força que me machucava, e sua mão estava gelada. O passo foi hesitando à medida que chegávamos perto da porta indicada, e a poucos metros dali ela parou. Não olhou para mim. Inspirou fundo. Pensei que reunia forças para a sua ação caridosa. Mas então, me encarando firme, a boca num traço fino, os olhos dois pedacinhos de gelo cinzento, disse com uma determinação que eu desconhecia:

— Não vou. Não posso. Não quero. Eu não perdôo. Quero que ele morra da forma mais miserável, e que faço questão de que ele saiba que cheguei até aqui mas não vou perdoar.

*o silêncio dos amantes* | 151

Então virou-se, saiu pelo corredor tão depressa que quase não a consegui acompanhar. Meu cunhado morreu dias depois. Segundo a médica indignada e poucos conhecidos que ainda o visitavam, morreu chamando por Leilah. Quando comentei com ela, fez apenas um ar de profundo desprezo:

— Quanto drama.

Minha irmã voltou a ser quase aquela que eu conhecia e amava: terna, alegre, cuidadosa comigo. Mas em seus belos olhos a melancolia fora substituída por uma expressão distante e dura. Como de alguém que se despiu de toda a compaixão, e reduziu suas emoções ao mínimo necessário para apenas sobreviver. Eu nunca soube, nem saberei, o segredo daquela dor que, cara a cara com a morte, transformou uma boa mulher em uma juíza feroz. Pois quando chegou a sua hora, ela já velha, também num quarto de hospital — mas comigo e nossas irmãs —, no último momento abriu os olhos, apertou minha mão e disse baixinho:

— Graças a Deus eu consegui.

Eu ia dizer algo como, sim, você conseguiu afinal uma boa vida, e sempre foi muito amada por todas nós. Mas num último esforço ela completou, o mesmo olhar duro dos muitos últimos anos:

— Graças a Deus eu consegui não perdoar.

# 20 | *O silêncio dos amantes*

Meu homem dorme a meu lado. Gosto de acordar no meio da noite e sentir o seu calor, escutar sua respiração. Às vezes, dormindo, ele me apalpa de leve como para ter certeza de que estou ali. Ou murmura alguma coisa também no entressono. O nome de outra mulher?

Sorrio no escuro.

Algo se move no jardim em torno da casa. Um anjo prendeu as asas nos galhos baixos; um menino arranhou o joelho num arbusto; pode ser o vento agitando um pano vermelho desbotado, ou o silêncio — que quando é demasiado vira lamento. Então me aconchego mais no corpo dele, e fico abrigada. Esse é o meu lugar no mundo.

Valentim foi um encontro totalmente inesperado. Sozinha há vários anos, estava acomodada numa rotina boa, começando a me curar da ferida que latejou por muito tempo: abandono, traição.

Na cidadezinha abriu-se um novo café, de que todos falavam. Minha primeira saída depois do tempo de reclusão foi quando dois casais de amigos ligaram insistindo, você tem de vir conosco, o lugar é adorável, o

*o silêncio dos amantes* | 153

dono é um velho conhecido nosso. Era um café bem ao estilo de povoado na serra, muita madeira e grandes janelas dando para um jardim bem cuidado, pinheiros, e mais além os morros. O dono não estava, mas fomos atendidos por quem pensei no começo ser sua mulher — mais tarde saberia que era sua irmã. Uma mulher enérgica, com mãos de camponesa e uns divertidos olhos claros.

Sim, tinham inaugurado o café havia pouco tempo, os negócios iam bem, dentro de alguns meses achavam que teriam lucro.

— A senhora é a dona? — perguntei.

— Não — ela respondeu —, eu ajudo meu irmão, somos só nós dois vivos da família.

Não pensei mais no assunto até que um dia o encontrei numa loja de objetos de jardim, e alguém a meu lado comentou o novo café. Cumprimento, breve diálogo, ah, o senhor é o dono do café, e um até logo amável. Outros encontros, mais visitas ao café, e sem muita demora estávamos namorando.

Valentim era, como eu, sozinho. Eu tinha sido traída por uma pessoa, ele pelo destino. Mas, ao contrário de mim, não conseguia deixar partir de verdade quem se fora.

Eu sabia que era preciso tempo. Cada perda tem sua hora de acabar, cada morto seu prazo de partir, e não depende muito da vontade da gente. Ele não estava curado. A primeira impressão que me deu, naquela loja de objetos de jardinagem, foi: que homem triste. Que olhar bondoso. E pensei, quando rodava no carro para casa: um homem assim eu poderia de novo amar; alguém assim podia me fazer bem, e acho que eu faria

154 | lya luft

bem a ele. Alguém que não iria me trair e me despedaçar. Depois sacudi a cabeça, rindo da minha infantilidade. Ainda não estava curada do velho romantismo?

De um encontro casual e vários outros, combinados, nasceu um apaixonado amor. Os dois queríamos voltar a viver, queríamos nos curar, ele do luto, eu da rejeição. Demorou algum tempo mas ele reaprendeu a rir, e eu voltei a me sentir valorizada. Descobrimos gostos comuns: aquele pianista, aquele maestro, aquela gravação, aquele quadro, aqueles livros, aquele poema que líamos em voz alta.

Lavo a louça na pia diante da janela aberta, de onde enxergo o vulto dele movendo-se no seu ateliê: ele esculpe em uma madeira sedosa ao tato, no grande galpão antigo que transformou e adaptou para isso. Quando não cuida do café com a irmã, ou quando não estamos juntos, cada um lendo em sua poltrona, ou vendo televisão ou ouvindo música sem falar, Valentim fica nesse estúdio onde de suas mãos e sua fantasia nascem figuras singulares.

Na sua primeira vida, como diz, foi um profissional bem-sucedido, cheio de amigos e mulheres. Só não pensava em casar. Aos quarenta e poucos anos encontrou aquela que o fez baixar a guarda e querer ser feliz. Uma mulher luminosa, ele me diria depois. Casou-se e transformou muita coisa: menos viagens, menos negócios, menos vontade de sucesso. Mudaram seus valores, suas perspectivas se humanizaram. Buscava mais tempo para estar em casa, para curtir a vida. Três anos depois resolveram ter um filho, coisa que antes não passaria pela cabeça dele. Sempre achara que não tinha o menor jeito. E quando a mulher, alegre e tão amada, estava

*o silêncio dos amantes* | 155

quase no fim da gravidez, a morte, ciumenta, estendeu para fora das longas mangas as garras possessivas.

A jovem grávida entrava em seu carro diante de uma loja onde comprara uns últimos objetos para o quarto da criança, uma menina que já tinha nome, Clara. "Porque minha vida estava tão iluminada com tudo aquilo."

Um assaltante a arrancou de dentro do carro e a derrubou no chão. Pegou rapidamente bolsa, relógio e celular da moça caída na calçada, e entrou no carro. As sacolas de compras ficaram no chão ao lado dela. Quando já estava arrancando, sem explicação, sem motivo a não ser a alucinação da droga ou a maldade mais primitiva, inclinou-se um pouco para fora, e disparou. Duas vezes, na barriga volumosa. O bebê explodiu junto com as entranhas da mãe. Naquela hora mataram também a Valentim.

Ele levaria longo tempo para voltar à vida. Bebeu pesadamente por alguns anos. Era como se estivesse se afogando no sangue do corpo da mulher amada e do bebê ainda não nascido, derramado na calçada. Botou fora sua fortuna, fez loucuras, tentou de vários modos se destruir. Recusou ajuda de amigos: queria aquela sua maneira covarde de se matar, como ele mesmo dizia.

Depois, sua natureza no fundo saudável, a memória da felicidade havida, as circunstâncias, o fizeram reviver. Lentamente ele voltava. Era preciso recomeçar uma terceira vez. Aos poucos foi se recompondo minimamente. Abrir o café na cidadezinha da montanha, sugestão de sua única irmã, que morava lá, foi um passo importante. Como deve estar sendo importante no seu processo de cura esculpir, viver tranqüilamente, e de novo amar.

A cicatriz, eu sei, esta ficou, feia e irredutível, no coração do homem que eu amo. Como estão algumas

156 — *Iya luft*

no meu: o casamento com um homem idolatrado, de cujo amor nunca duvidei, cuja fidelidade me parecia tão natural quanto a minha. Com quem eu pensava ter filhos, envelhecer, morrer. Num dia, sem qualquer sinal que eu percebesse, ele me levou para jantar, e mal começamos a comer anunciou o motivo daquela celebração: queria se separar. Estava havia meses com outra mulher, estava apaixonado, eu era boa demais, não merecia aquilo. E a vida dupla começava a lhe fazer mal. As palavras mais convencionais, ridiculamente comuns, eram, uma a uma, punhais rasgando o cenário da minha vida e envenenando os bastidores.

Se o teto do restaurante desabasse eu não teria ficado mais chocada. Por vários meses pensei que ia morrer de dor, oscilando entre humilhação e ódio. Levei muito tempo para sair à rua, ver amigos, voltar a trabalhar, viajar. Imaginava meu marido chegando em casa, entrando na nossa cama, recém-saído dos braços da outra mulher. Imaginava-o dizendo e fazendo com ela as mesmas coisas que me levavam ao delírio. Muito devagar, consegui retomar minha vida, durante um divórcio hostil de parte a parte. Rejeitada, eu o quis machucar de todas as maneiras possíveis, e me vingar, mesmo sabendo que era apenas patético. Muito me envergonhei disso mais tarde, e acabamos numa relação pelo menos cortês.

Minhas feridas quase fechadas me ajudam a entender que Valentim convalesce das suas. Talvez leve o resto da vida para se recuperar. Sua melancolia, que por vezes me impacienta, na verdade não o distancia de mim, como não nos separam seus silêncios. É difícil, porque não sei fingir que não vejo ou não me importo quando ele se fecha mais, mas vou apreendendo que é

*o silêncio dos amantes* | 157

apenas natural, e percebo que está cada vez um pouco melhor. Estou me permitindo alegria, estou aprendendo a ser feliz outra vez, ele diz. Sei que vai superar a morte para poder se abrir para a vida. Está começando a lembrar com menos sofrimento. Talvez consiga esquecer.

Mas a moça morta com seu ventre grande não esquece. Ronda esta casa que agora é nossa no luscofusco da madrugada ou do anoitecer, e às vezes eu vislumbro o vermelho pálido de um vestido nos arbustos atrás da árvore grande. Percebo seus olhos melancólicos e desesperados, atrás da vidraça, vejo que se esgueira no fundo do corredor, uma rápida aparição que não amedronta. Será ilusão, será reflexo de alguma luz, será ela? O que está buscando ou querendo mostrar? Não tive coragem de falar com Valentim a respeito, mas um dia perguntei a cor da roupa que ela usava quando foi morta. Ele pensou um pouco, o esforço de recordar o perturbava visivelmente. Depois disse:

— Não lembro. Foi tudo tão horrível que lembro de poucos detalhes. — Olhou para o lado, respirou fundo, e disse: — São coisas que precisei esquecer. — E corrigiu: — Eu quero esquecer.

Arrumando seu armário, encontrei pouco depois uma caixa fechada com um elástico. Como ele não tinha pedido segredo de nada, abri pensando que haveria retratos. Eu nunca tinha visto um retrato de Valentim menino, ou rapaz, ou da sua mulher perdida. Eram recortes de jornal, poucos e amarelados. Notícias do assassinato de uma jovem grávida de sete meses. Uma foto dela. O nome, nome de flor. Uma participação de falecimento. Várias notícias policiais. Nunca pegaram o monstro assassino. Em uma foto de jornal num colorido desbota-

158 | *Iya luft*

do, via-se entre as pernas dos transeuntes consternados a moça caída na calçada, com vestido vermelho.

Mais uma vez não falei nada. Já houve dor em demasia. Não tem importância que a mulher morta venha, que espie tristemente pela janela ou se esconda entre as árvores. Talvez espreite a felicidade do homem amado com outra mulher, e sofra. Ou sente-se apaziguada vendo que ele, ao menos, voltou à vida. Será que aparece junto dele no ateliê para ver se esculpe uma figura feminina de ventre abaulado? Será que o acaricia com a mão gelada, e lhe mostra a barriga onde um bebê fantasma quer o amor de seu pai?

Ou ela pensa que somos o seu sonho?

Acho que Valentim sabe dessas aparições, sabe que as vejo, e fica agradecido porque não comento nada. Quando ele está mais triste, até sombrio, pergunto o que tem, e ele responde: "Nada". Sorri meio distante.

A moça grávida aparece cada vez menos. Está ficando translúcida, quase, também ela, um velho retrato desbotado. Não me faz mal. Não quer me perturbar. Há de estar se acostumando à sua nova condição. Mesmo se ela desaparecer por completo, nunca vou indagar a Valentim se ela o visitava no ateliê. Não preciso saber. Entre todos os amantes há zonas de segredo necessárias, que também podem unir. Invadidas, talvez provocassem inúteis sofrimentos. Leva tempo aceitar isso sem mágoas.

Acordo com Valentim a meu lado. Passo de leve a mão em seu rosto adormecido, acompanho com o dedo o contorno de sua boca, beijo seu ombro e me aconchego mais nele: aqui é o meu lugar no mundo. E o dele também. Do nosso jeito, estamos construindo — mais uma vez — a vida.

A dor faz parte.

*o silêncio dos amantes* | 159

Este livro foi composto na
tipologia Electra, em corpo 11.5/15,
e impresso em papel Off-White $90g/m^2$,
no Sistema Cameron da Divisão Gráfica
da Distribuidora Record.